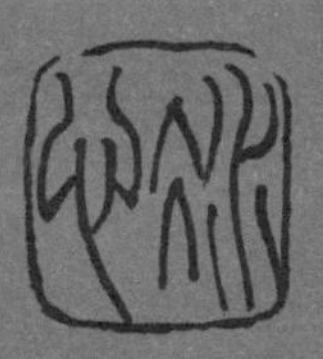

现　代　作　家　精　选　本

吴福辉　陈子善主编

冰　心　著

【寄小读者·关于女人】

复旦大学出版社

目录

1 导言/陈子善

1 寄小读者

3 四版自序
5 通讯一
6 通讯二
8 通讯三
11 通讯四
12 通讯五
14 通讯六
15 通讯七
18 通讯八
21 通讯九
29 通讯十
35 通讯十一
39 通讯十二
43 通讯十三
48 通讯十四
52 通讯十五

56 通讯十六
61 通讯十七
63 通讯十八
72 通讯十九
77 通讯二十
80 通讯二十一
82 通讯二十二
85 通讯二十三
88 通讯二十四
91 通讯二十五
94 通讯二十六
97 通讯二十七
100 山中杂记
100 （一）我怯弱的心灵
101 （二）埋存与发掘
102 （三）古国的音乐
102 （四）雨雪时候的星辰
103 （五）她得了刑罚了
104 （六）Eskimo
105 （七）说几句爱海的孩气的话

107 （八）他们说我幸运
109 （九）机器与人类幸福
110 （十）鸟兽不可与同群
113 通讯二十八
115 通讯二十九

119 再寄小读者

121 通讯一
122 通讯二
124 通讯三
127 通讯四

131 关于女人

133 三版自序
134 再版自序
136 抄书代序
137 我最尊敬体贴她们
141 我的择偶条件

144 我的母亲
149 我的教师
154 叫我老头子的弟妇
159 请我自己想法子的弟妇
162 使我心疼头痛的弟妇
167 我的奶娘
172 我的同班
177 我的同学
181 我的朋友的太太
187 我的学生
198 我的房东
209 我的邻居
216 张嫂
221 我的朋友的母亲
230 后记

235 附录:谈生命

导　言

尽管近年来海内外学界对五四颇多反思和质疑，但我对五四还是心向往之。那真是个思想解放、人才辈出的狂飙时代，特别是在文学领域，多少旧文学的叛逆者，新文学的迷恋者由此脱颖而出，原名谢婉莹的冰心(1900—1999)就是"五四"造就的产生了重大影响的女作家。

冰心是以"问题小说"，其中的代表作就是《斯人独憔悴》、《秋风秋雨愁煞人》等等，登上新文坛的，也因此成为文学研究会最初的成员。然而，她更为文坛瞩目的是短诗集《繁星》和《春水》。这两部诗集摹仿泰戈尔《飞鸟集》是如此明显，但诗中所传达的"表现自己"对人生的探索，对自然的赞颂，正好符合"五四"的潮流，从而开创了"春水体"小诗，形成了所谓"小诗流行的时代"。

1923年夏，冰心赴美留学，不久因病在美国青山沙穰疗养七个月。"完全与'自然'相对"，诱发了冰心的浓浓乡愁，于是"寄小读者"汩汩而出，在北京《晨报》副刊《儿童世界》连载，一时洛阳纸贵。三年以后，《寄小读者》结集出版，1927年问世的增订四版成为定本。到1935年，散文集《寄小读者》已经发行了二十一版，平均不到半年即重印一次，成为冰心流传最广的作品。

《寄小读者》虽然是写给青少年读者看的，但潜在的读者仍是成年人。透过书中对山明水秀的美国乡村风光的真切描绘，冰心热烈宣扬以母爱、儿童爱、自然爱为中心的"爱的哲学"，而美国高速发展的资本主义物质文明，在《寄小读者》中几乎完全不见踪影，这是十分有趣的事。这部散文集成为一代文学青年的"爱"的教科书，恐怕不是偶然的。

《寄小读者》之所以动人，更重要的原因在于作者"笔底象温泉水似的柔情"（引自郁达夫《中国新文学大系散文二集导言》），全书"文字是那样的清新隽丽，笔调是那样的轻倩灵活，充满着画意和诗情，真如镶嵌在夜空里的一颗颗晶莹的星珠；又如一池春水，风过处，扬起锦似的涟漪"（引自李素伯《小品文研究》）。《寄小读者》清晰地展示着"五四"新文学"美文"的实绩。

历来把冰心视为新文学"闺阁派"女作家，这自有一定道理。但到了1941年，当冰心用"男士"笔名在重庆《星期评论》杂志上连载《关于女人》时，这种论断就有检讨的必要了，正如翰生（叶圣陶）所指出的：冰心在《关于女人》中"已经舍弃她的柔细清丽，转向着苍劲朴茂"（引自《男士的〈我的同班〉》）。

《关于女人》是一组记实散文，每篇叙述作者所亲近熟悉的一位女人，栩栩如生，既是四十年代中国知识女性的一组群像，也表达了作者所坚持的女人"比男人多些颜色，也多些声音"的平淡、稳静、健全的妇女观。《关于女人》贴近现实，贴近世情，标志着冰心风格的一次大转变。此书初版于1943年，修正版初版于1945年，到1948年已重印五版，显然是冰心漫长文学生涯中期的代表作。

我没有拜访过冰心老人，但上个世纪九十年代中期与她老人家有通信之雅，承她不弃，为我写过一幅小字："事能知足心常乐，人到无求品自高"，至今宝藏。窃以为这部冰心精选集选入《寄小读者》和《关于女人》是合适的，书末又附录《谈生命》，是《冰心全集》失收的佚文。

陈子喜

丙戌盛夏于海上梅川书舍

寄 小 读 者

1926 年 5 月北新书局初版
1927 年 8 月北新书局增订四版

四版自序

假如文学的创作,是由于不可遏抑的灵感,则我的作品之中,只有这一本是最自由,最不思索的了。

这书中的对象,是我挚爱恩慈的母亲。她是最初也是最后我所恋慕的一个人。我提笔的时候,总有她的颦眉或笑脸涌现在我的眼前。她的爱,使我由生中求死——要担负别人的痛苦;使我由死中求生——要忘记自己的痛苦。生命中的经验,渐渐加增,我也渐渐的撷到了生命花丛中的尖刺。在一切躯壳和灵魂的美丽芬芳的诱惑之中,我受尽了情感的颠簸;而"到底为谁活着"的观念,也日益明了……

感谢上帝,在我最初一灵不昧的入世之日,已予我以心灵永久的皈依和寄托——

我无有话说,人生就是人生!母亲付予了我以灵魂和肉体,我就以我的灵肉来探索人生。以往的试验探索的结果,使我写了寄小朋友这些书信。这书中有幼稚的欢乐,也有天真的眼泪!

年来笔下销沉多了,然而我觉得那抒写的情绪,总是不绝如缕,乙乙欲抽——记得一九二四年的初春,在沙穰青山的病榻上,背倚着楼阑凝望:正是山雨欲来的时候,湿风四起,风片中夹带着新草的浓香。黑云飞聚,压盖得楼前的层山叠嶂,浮

起了艳艳的绿光。天容如墨，而如墨的云隙中，万缕霞光，灿穿四射，影满大地！我那时神悚目夺，瞿然惊悦，我在预觉着这场风雨后芳馨浓郁的春光！

小朋友，朗润园池中春冰已泮，而我怀仍结！在这如结久蕴的情怀之后，我似乎也觉着笔下来归的隐隐的春光。我在墙头小山上徐步，土湿如膏，西望玉泉山上的塔，和万寿山上的佛香阁，排云殿等等，都隐在浓雾之中，而浓雾却遮不住那从树枝头嫩黄的生意，春天来了！

小朋友，冰心应许你在这一春中，再报告你们些幼稚的欢乐，天真的眼泪，虽然她也怕在生命花刺渐渐握满之后，欢笑不成，眼泪不落……

小朋友，记取，春天来了！

三，廿，一九二七年朗润园志。

通 讯 一

似曾相识的小朋友们：

我以抱病又将远行之身，此三两月内，自分已和文字绝缘；因为昨天看见《晨报》副刊上已特辟了"儿童世界"一栏，欣喜之下，便借着软弱的手腕，生疏的笔墨，来和可爱的小朋友，作第一次的通讯。

在这开宗明义的第一信里，请你们容我在你们面前介绍我自己。我是你们天真队里的一个落伍者——然而有一件事，是我常常用以自傲的：就是我从前也曾是一个小孩子，现在还有时仍是一个小孩子。为着要保守这一点天真直到我转入另一世界时为止，我恳切的希望你们帮助我，提携我，我自己也要永远勉励着，做你们的一个最热情最忠实的朋友！

小朋友，我要走到很远的地方去。我十分的喜欢有这次的远行，因为或者可以从旅行中多得些材料，以后的通讯里，能告诉你们些略为新奇的事情。——我去的地方，是在地球的那一边。我有三个弟弟，最小的十三岁了。他念过地理，知道地球是圆的。他开玩笑的和我说："姊姊，你走了，我们想你的时候，可以拿一条很长的竹竿子，从我们的院子里，直穿到对面你们的院子去，穿成一个孔穴。我们从那孔穴里，可以彼此看见。我看看你别后是否胖了，或是瘦了。"小朋友想这是可能的事情么？——我又有一个

小朋友,今年四岁了。他有一天问我说:“姑姑,你去的地方,是比前门还远么?”小朋友看是地球的那一边远呢?还是前门远呢?

我走了——要离开父母兄弟,一切亲爱的人。虽然是时期很短,我也已觉得很难过。倘若你们在风晨雨夕,在父亲母亲的膝下怀前,姊妹弟兄的行间队里,快乐甜柔的时光之中,能联想到海外万里有一个热情忠实的朋友,独在恼人凄清的天气中,不能享得这般浓福,则你们一瞥时的天真的怜念,从宇宙之灵中,已遥遥的付与我以极大无量的快乐与慰安!

小朋友,但凡我有工夫,一定不使这通讯有长期间的间断。若是间断的时候长了些,也请你们饶恕我。因为我若不是在童心来复的一刹那顷拿起笔来,我决不敢以成人烦杂之心,来写这通讯。这一层是要请你们体恤怜悯的。

这信该收束了,我心中莫可名状,我觉得非常的荣幸!

冰　心

七,廿五,一九二三。

通　讯　二

小朋友们:

我极不愿在第二次的通讯里,便劈头告诉你们一件伤心的事情。然而这件事,从去年起,使我的灵魂受了隐痛,直到现在,不容我不在纯洁的小朋友面前忏悔。

去年的一个春夜——很清闲的一夜,已过了九点钟了,弟弟们都已去睡觉，只我的父亲和母亲对坐在圆桌旁边，看书，吃果点，谈话。我自己也拿着一本书，倚在椅背上站着看。那时一切都很和柔，很安静的。

一只小鼠，悄悄地从桌子底下出来，慢慢的吃着地上的饼屑。这鼠小得很，它无猜的，坦然的，一边吃着，一边抬头看看我——我惊悦的唤起来，母亲和父亲都向下注视了。四面眼光之中，它仍是怡然的不走，灯影下照见它很小很小，浅灰色的嫩毛，灵便的小身体，一双闪烁的明亮的小眼睛。

小朋友们，请容我忏悔！一刹那顷我神经错乱的俯将下去，拿着手里的书，轻轻地将它盖上。——上帝！它竟然不走。隔着书页，我觉得它柔软的小身体，无抵抗的蜷伏在地上。

这完全出于我意料之外了！我按着它的手，方在微颤——母亲已连忙说："何苦来！这么驯良有趣的一个小活物……"话犹未了，小狗虎儿从帘外跳将进来。父亲也连忙说："快放手，虎儿要得着它了！"我又神经错乱的拿起书来，可恨呵！它仍是怡然的不动。　　　声喜悦的微吼，虎儿已扑着它，不容我唤住，已衔着它从帘隙里又钻了出去。出到门外，只听得它在虎儿口里微弱凄苦的啾啾的叫了几声，此后便没有了声息。——前后不到一分钟，这温柔的小活物，使我心上飕的着了一箭！

我从惊惶中长吁了一口气。母亲慢慢也放下手里的书，抬头看着我说："我看它实在小得很，无机得很。否则一定跑了。初次出来觅食，不见回来，它母亲在窝里，不定怎样的想望呢。"

小朋友，我堕落了，我实在堕落了！我若是和你们一般年纪的时候，听得这话，一定要慢慢的挪过去，突然的扑在母亲怀中痛哭。然而我那时……小朋友们恕我！我只装作不介意的笑了一笑。

安息的时候到了，我回到卧室里去。勉强的笑，增加了我的罪孽，我徘徊了半天，心里不知怎样才好——我没有换衣服，只倚在床沿，伏在枕上，在这种状态之下，静默了有十五分钟——我至终流下泪来。

至今已是一年多了，有时读书至夜深，再看见有鼠子出来，我总觉得忧愧，几乎要避开。我总想是那只小鼠的母亲，含着伤心之泪，夜夜出来找它，要带它回去。

不但这个，看见虎儿时想起，夜坐时也想起，这印象在我心中时时作痛。有一次禁受不住，便对一个成人的朋友，说了出来；我拼着受她一场责备，好减除我些痛苦。不想她却失笑着说："你真是越来越孩子气了，针尖大的事，也值得说说！"她漠然的笑容，竟将我以下的话，拦了回去。从那时起，我灰心绝望，我没有向第二个成人，再提起这针尖大的事！

我小时曾为一头折足的蟋蟀流泪，为一只受伤的黄雀呜咽；我小时明白一切生命，在造物者眼中是一般大小的；我小时未曾做过不仁爱的事情，但如今堕落了……

今天都在你们面前陈诉承认了，严正的小朋友，请你们裁判罢！

冰　心

七，廿八，一九二三。北京。

通　讯　三

亲爱的小朋友：

昨天下午离开了家，我如同入梦一般。车转过街角的时候,我回头凝望着——除非是再看见这缘满豆叶的棚下的一切亲爱的人,我这梦是不能醒的了!

送我的尽是小孩子——从家里出来,同车的也是小孩子,车前车后也是小孩子。我深深觉得凄恻中的光荣。冰心何福,得这些小孩子天真纯洁的爱,消受这甚深而不牵累的离情。

火车还没有开行,小弟弟冰季别到临头,才知道难过,不住的牵着冰叔的衣袖,说:“哥哥,我们回去罢。”他酸泪盈眸,远远的站着。我叫过他来,捧住了他的脸,我又无力的放下手来,他们便走了。——我们至终没有一句话。

慢慢的火车出了站,一边城墙,一边杨柳,从我眼前飞过。我心沉沉如死,倒觉得廓然,便拿起国语文学史来看。刚翻到“卿云烂兮”一段,忽然看见书页上的空白处写着几个大字:“别忘了小小”。我的心忽然一酸,连忙抛了书,走到对面的椅子上坐下——这是冰季的笔迹呵!小弟弟,如何还困弄我于别离之后?

夜中只是睡不稳,几次坐起,开起窗来,只有模糊的半圆的月,照着深黑无际的田野。——车在风驰电掣的,轮声轧轧里,奔向着无限的前途。明月和我,一步一步的离家远了!

今早过济南,我五时便起来,对窗整发。外望远山连绵不断,都没在朝霭里,淡到欲无。只浅蓝色的山峰一线,横亘天空。山坳里人家的炊烟,濛濛的屯在谷中,如同云起。朝阳极光明的照临在无边的整齐青绿的田畦上。我梳洗毕凭窗站了半点钟,在这庄严伟大的环境中,我只能默然低头,赞美万能智慧的造物者。

过泰安府以后,朝露还零。各站台都在浓阴之中,最有

古趣,最清幽。到此我才下车稍稍散步,远望泰山,悠然神往。默诵"高山仰止,景行行止,虽不能至,心向往之"四句,反复了好几遍。

自此以后,站台上时闻皮靴拖踏声,刀枪相触声,又见黄衣灰衣的兵丁,成队的来往梭巡。我忽然忆起临城劫车的事,知道快到抱犊冈了,我切愿一见那些持刀背剑来去如飞的人。我这时心中只憧憬着梁山泊好汉的生活,武松林冲鲁智深的生活。我不是羡慕什么分金阁,剥皮亭,我羡慕那种激越豪放、大刀阔斧的胸襟!

因此我走出去,问那站在两车挂接处荷枪带弹的兵丁。他说快到临城了,抱犊冈远在几十里外,车上是看不见的。他和我说话极温和,说的是纯正的山东话。我如同远客听到乡音一般,起了无名的喜悦。——山东是我灵魂上的故乡,我只喜欢忠恳的山东人,听那生怯的山东话。

一站一站的近江南了,我旅行的快乐,已经开始。这次我特意定的自己一间房子,为的要自由一些,安静一些,好写些通讯。我靠在长枕上,近窗坐着。向阳那边的窗帘,都严严的掩上。对面一边,为要看风景,便开了一半。凉风徐来,这房里寂静幽阴已极。除了单调的轮声以外,与我家中的书室无异。窗内虽然没有满架的书,而窗外却旋转着伟大的自然。笔在手里,句在心里,只要我不按铃,便没有人进来搅我。龚定庵有句云:"……都道西湖清怨极,谁分这般浓福?……"今早这样恬静喜悦的心境,是我所梦想不到的。书此不但自慰,并以慰弟弟们和记念我的小朋友。

冰　心

八,四,一九二三,津浦道中。

通　讯　四

小朋友：

好容易到了临城站，我走出车外。只看见一大队兵，打着红旗，上面写着"……第二营……"又放炮仗，又吹喇叭；此外站外只是远山田垄，更没有什么。我很失望，我竟不曾看见一个穿夜行衣服，带镖背剑，来去如飞的人。

自此以南，浮云蔽日。轨道旁时有小湫。也有小孩子，在水里洗澡游戏。更有小女孩，戴着大红花，坐在水边树底作活计，那低头穿线的情景，煞是温柔可爱。

过南宿州至蚌埠，轨道两旁，雨水成湖。湖上时有小舟来往。无际的微波，映着落日，那景物美到不可描画。——自此人民的口音，渐渐的改了，我也渐渐的觉得心怯，也不知道为什么。

过金陵正是夜间，上下车之顷，只见隔江灯火灿然。我只想象着城内的秦淮莫愁，而我所能看见的，只是长桥下微击船舷的黄波浪。

五日绝早过苏州。两夜失眠，烦困已极，而窗外风景，浸入我倦乏的心中，使我悠然如醉。江水伸入田垄，远远几架水车，一簇一簇的茅亭农舍，树围水绕，自成一村。水漾轻波，树枝低亚。当几个农妇挑着担儿，荷着锄儿，从那边走过之时，真不知是诗是画！

有时远见大江，江帆点点，在晓日之下，清极秀极。我素喜

北方风物，至此也不得不倾倒于江南之雅澹温柔。

晨七时半到了上海，又有小孩子来接，一声“姑姑”，予我以无限的欢喜。——到此已经四五天了，休息之后，俗事又忙个不了。今夜夜凉如水，灯下只有我自己。在此静夜极难得，许多姊妹兄弟，知道我来，多在夜间来找我乘凉闲话。我三次拿起笔来，都因门环响中止，凭阑下视，又是哥哥姊妹来看望我的。我慰悦而又惆怅，因为三次延搁了我所乐意写的通讯。

这只是沿途的经历，感想还多，不愿在忙中写过，以后再说。夜深了，容我说晚安罢！

冰　心

八，九，一九二三，上海。

通　讯　五

小朋友：

早晨五时起来，趁着人静，我清明在躬之时，来写几个字。

这次过蚌埠，有母女二人上车，茶房直引她们到我屋里来。她们带着好几个提篮，内中一个满圈着小鸡。那时车中热极，小鸡都纷纷的伸出头来喘气，那个女儿不住的又将它们按下去。她手脚匆忙，好似弹琴一般。那女儿二十上下年纪，穿着一套麻纱的衣服，一脸的麻子，又满扑着粉，头上手上戴满了簪子，耳珥，戒指，镯子之类，说话时善能作态。我那时也不知是因为天热，心中烦躁，还是什么别的缘故，只觉得那女孩儿太不可爱。我没有同她招呼，只望着窗外，一回头正见她们谈着话，那女孩儿不住撒娇撒痴的要汤要水;她母亲穿一套青色香云纱的衣服,五十岁上下,面目蔼然,和她谈话的态度,又似爱怜,又似斥责。我旁观忽然心里难过,趁有她们在屋,便走了出去——小朋友!我想起我的母亲,不觉凭在甬道的窗边,临风偷洒了几点酸泪。

请容我倾吐,我信世界上只有你们不笑话我!我自从去年得有远行的消息以后,我背着母亲,天天数着日子。日子一天一天的过了,我也渐渐的瘦了。大人们常常安慰我说:"不要紧的,这是好事!"我何尝不知道是好事?叫我说起来,恐怕比他们说的还动听。然而我终竟是个弱者,弱者中最弱的一个。我时常暗恨我自已!临行之前,到姨母家里去,姨母一面张罗我就坐吃茶,一面笑问:"你走了,舍得母亲么?"我也从容的笑说:"那没有什么,日子又短,那边还有人照应。"——等到姨母出去,小表妹忽然走到我面前,两手按在我的膝上,仰着脸说:"姊姊,是么?你真舍得母亲么?"我那时忽然禁制不住,看着她那智慧诚挚的脸,眼泪直奔涌了出来。我好似要堕下深崖,求她牵援一般。我紧握着她的小手,低声说:"不瞒你说,妹妹,我舍不得母亲,舍不得一切亲爱的人!"

小朋友!大人们真是可钦羡的,他们的眼泪是轻易不落下来的;他们又勇敢,又大方。在我极难过的时候,我的父亲母亲,还能从容不迫的劝我。虽不知背地里如何,那时总算体恤、坚忍,我感激至于无地!

我虽是弱者,我还有我自已的傲岸,我还不肯在不相干的大人前,披露我的弱点。行前和一切师长朋友的谈话,总是喜笑着说的。我不愿以我的至情,来受他们的讥笑。然而我却愿以此在上帝和小朋友面前乞得几点神圣的同情的眼泪!

窗外是斜风细雨，写到这时，我已经把持不住。同情的小朋友，再谈罢！

冰　心

八，十二，一九二三，上海。

通　讯　六

小朋友：

你们读到这封信时，我已离开了可爱的海棠叶形的祖国，在太平洋舟中了。我今日心厌凄恋的言词，再不说什么话，来撩乱你们简单的意绪。

小朋友，我有一个建议："儿童世界"栏，是为儿童辟的，原当是儿童写给儿童看的。我们正不妨得寸进寸、得尺进尺的，竭力占领这方土地。有什么可喜乐的事情，不妨说出来，让天下小孩子一同笑笑；有什么可悲哀的事情，也不妨说出来，让天下小孩子陪着哭哭。只管坦然公然的，大人前无须畏缩。——小朋友，这是我们积蓄的秘密，容我们低声匿笑的说罢！大人的思想，竟是极高深奥妙的，不是我们所能以测度的。不知道为什么，他们的是非，往往和我们的颠倒。往往我们所以为刺心刻骨的，他们却雍容谈笑的不理；我们所以为是渺小无关的，他们却以为是惊天动地的事功。比如说罢，开炮打仗，死了伤了几万几千的人，血肉模糊的卧在地上。我们不必看见，只要听人说了，就要心悸，夜里要睡不着，或是说呓语的；他们却不但不在意，而且很喜欢操纵这些事。又如我们觉得老大的中国，不拘谁做总统，只要他老老实实，治抚得大家平平安安的，不妨碍我们的游戏，我们就心满意足了；而大人们却奔走辛苦的谈论这件事，他举他，他推他，乱个不了，比我们玩耍时举“小人王”还难。总而言之，他们的事，我们不敢管，也不会管；我们的事，他们竟是不屑管。所以我们大可畅胆的谈谈笑笑，不必怕他们笑话。——我的话完了，请小朋友拍手赞成！

我这一方面呢，除了一星期后，或者能从日本寄回信来之外，往后两个月中，因为道远信件迟滞的关系，恐怕不能有什么消息。秋风渐凉，最宜书写，望你们努力！

在上海还有许多有意思的事要报告给你们，可惜我太忙，大约要留着在船上，对着大海，慢慢的写。请等待着。

小朋友！明天午后，真个别离了！愿上帝无私照临的爱光，永远包围着我们，永远温慰着我们。

别了，别了，最后的一句话，愿大家努力做个好孩子！

冰　心

八，十六，一九二三，上海。

通　讯　十

亲爱的小朋友：

八月十七的下午，约克逊号邮船无数的窗眼里，飞出五色飘扬的纸带，远远的抛到岸上，任凭送别的人牵住的时候，我的心是如何的飞扬而凄恻！

痴绝的无数的送别者，在最远的江岸，仅仅牵着这终于断绝的纸条儿，放这庞然大物，载着最重的离愁，飘然西去！

船上生活，是如何的清新而活泼。除了三餐外，只是随意游戏散步。海上的头三日，我竟完全回到小孩子的境地中去了，套圈子，抛沙袋，乐此不疲，过后又绝然不玩了。后来自己回想很奇怪，无他，海唤起了我童年的回忆，海波声中，童心和游伴都跳跃到我脑中来。我十分的恨这次舟中没有几个小孩子，使我童心来复的三天中，有无猜畅好的游戏！

我自少住在海滨，却没有看见过海平如镜。这次出了吴淞口，一天的航程，一望无际尽是粼粼的微波。凉风习习，舟如在冰上行。到过了高丽界，海水竟似湖光。蓝极绿极，凝成一片。斜阳的金光，长蛇般自天边直接到阑旁人立处。上自穹苍，下至船前的水，自浅红至于深翠，幻成几十色，一层层，一片片的漾开了来。……小朋友，恨我不能画，文字竟是世界上最无用的东西，写不出这空灵的妙景！

八月十八夜，正是双星渡河之夕。晚餐后独倚阑旁，凉风吹衣。银河一片星光，照到深黑的海上。远远听得楼阑下人声笑语，忽然感到家乡渐远。繁星闪烁着，海波吟啸着，凝立悄然，只有惆怅。

十九日黄昏，已近神户，两岸青山，不时的有渔舟往来。日本的小山多半是圆扁的，大家说笑，便道是"馒头山"。这馒头山沿途点缀，直到夜里，远望灯光灿然，已抵神户。船徐徐停住，便有许多人上岸去。我因太晚，只自己又到最高层上，初次看见这般璀璨的世界，天上微月的光，和星光，岸上的灯光，无声相映。不时的还有一串光明从山上横飞过，想是火车周行。……舟中寂然，今夜没有海潮音，静极心绪忽起："倘若此时母亲也在这里……”我极清晰的忆起北京来。小朋友，恕我，不能往下再写了。

冰　心

八，二十，一九二三，神户。

朝阳下转过一碧无际的草坡，穿过深林，已觉得湖上风来，湖波不是昨夜欲睡如醉的样子了。——悄然的坐在湖岸上，伸开纸，拿起笔，抬起头来，四围红叶中，四面水声里，我要开始写信给我久违的小朋友。小朋友猜我的心情是怎样的呢？

水面闪烁着点点的银光，对岸意大利花园里亭亭层列的松树，都证明我已在万里外。小朋友，到此已逾一月了，便是在日本也未曾寄过一字。说是对不起呢，我又不愿！

我平时写作，喜在人静的时候。船上却处处是公共的地方，舱面阑边，人人可以来到。海景极好，心胸却难得清平。我只能在晨间绝早，船面无人时，随意写几个字，堆积至今，总不能整理，也不愿草草整理，便迟延到了今日。我是尊重小朋友的，想小朋友也能尊重原谅我！

许多话不知从哪里说起，而一声声打击湖岸的微波，一层层的没上杂立的潮石，直到我蔽膝的毡边来，似乎要求我将她介绍给我的小朋友。小朋友，我真不知如何的形容介绍她！她现在横在我的眼前。湖上的月明和落日，湖上的浓阴和微雨，我都见过了，真是仪态万千。小朋友，我的亲爱的人都不在这里，便只有她——海的女儿，能慰安我了。Lake Waban，谐音会意，我便唤她做“慰冰”。每日黄昏的游泛，舟轻如羽，水柔如不胜桨。岸上四围的树叶，绿的，红的，黄的，白的，一丛一丛的

倒影到水中来，覆盖了半湖秋水。夕阳下极其艳冶，极其柔媚。将落的金光，到了树梢，散在湖面。我在湖上光雾中，低低的嘱咐它，带我的爱和慰安，一同和它到远东去。

小朋友！海上半月，湖上也过半月了，若问我爱哪一个更甚，这却难说。——海好像我的母亲，湖是我的朋友。我和海亲近在童年，和湖亲近是现在。海是深阔无际，不着一字，她的爱是神秘而伟大的，我对她的爱是归心低首的。湖是红叶绿枝，有许多衬托，她的爱是温和妩媚的，我对她的爱是清淡相照的。这也许太抽象，然而我没有别的话来形容了！

小朋友，两月之别，你们自已写了多少，母亲怀中的乐趣，可以说来让我听听么？——这便算是沿途书信的小序。此后仍将那写好的信，按序寄上，日月和地方，都因其旧；"弱游"的我，如何自太平洋东岸的上海绕到大西洋东岸的波士顿来，这些信中说得很清楚，请在那里看罢！

不知这几百个字，何时方达到你们那里，世界真是太大了！

冰　心

十，十四，一九二三，慰冰湖畔，威尔斯利。

通　讯　八

亲爱的弟弟们：

波士顿一天一天的下着秋雨，好像永没有开晴的日子。落叶红的黄的堆积在小径上，有一寸来厚，踏下去又湿又软。湖畔是少去的了，然而还是一天一遭。很长很静的道上，自己走着，听着雨点打在伞上的声音。有时自笑不知这般独往独来，冒雨迎风，是何目的！走到了，石矶上，树根上，都是湿的，没有坐处，只能站立一会，望着蒙蒙的雾。湖水白极淡极，四围湖岸的树，都隐没不见，看不出湖的大小，倒觉得神秘。

回来已是天晚，放下绿帘，开了灯，看中国诗词，和新寄来的晨报副镌，看到亲切处，竟然忘却身在异国。听得敲门，一声“请进”，回头却是金发蓝睛的女孩子，笑颊粲然的立于明灯之下，常常使我猛觉，笑而吁气！

正不知北京怎样，中国又怎样了？怎么在国内的时候，不曾这样的关心？——前几天早晨，在湖边石上读华兹华斯(Wordsworth)的一首诗，题目是《我在不相识的人中间旅行》：

I Travelled Among Unknown Men

I travelled among unknown men,
In land beyond the sea,
Nor, England! did I know till then
What love I bore to thee.

大意是：

直至到了海外，
在不相识的人中间旅行；
英格兰！我才知道我付与你的
是何等样的爱。

读此使我恍然如有所得，又怅然如有所失。是呵，不相识的！湖畔归来，远远几簇楼窗的灯火，繁星般的灿烂，但不曾与我以丝毫慰藉的光气！

想起北京城里此时街上正听着卖葡萄，卖枣的声音呢！我真是不堪，在家时黄昏睡起，秋风中听此，往往凄动不宁。有一次似乎是星期日的下午，你们都到安定门外泛舟去了，我自己廊上凝坐，秋风侵衣。一声声卖枣声墙外传来，觉得十分黯淡无趣。正不解为何这般寂寞，忽然你们的笑语喧哗也从墙外传来，我的惆怅，立时消散。自那时起，我承认你们是我的快乐和慰安，我也明白只要人心中有了春气，秋风是不会引人愁思的。但那时却不曾说与你们知道。今日偶然又想起来，这里虽没有卖葡萄甜枣的声响，而窗外风雨交加。——为着人生，不得不别离，却又禁不起别离，你们何以慰我？……一天两次，带着钥匙，忧喜参半的下楼到信橱前去，隔着玻璃，看不见一张白纸。又近看了看，实在没有。无精打采的挪上楼来，不止一次了！明知万里路，不能天天有信，而这两次终不肯不走，你们何以慰我？

夜渐长了，正是读书的好时候，愿隔着地球，和你们一同勉励着在晚餐后一定的时刻用功。只恐我在灯下时，你们却在课室里——回家千万常在母亲跟前！这种光阴是贵过黄金的，不要轻轻抛掷过去，要知道海外的姊姊，是如何的羡慕你们！——往常在家里，夜中写字看书，只管漫无限制，横竖到了休息时间，父亲或母亲就会来催促的，搁笔一笑，觉得乐极。如今到了夜深人倦的时候，只能无聊的自己收拾收拾，去做那还乡的梦。弟弟！想着我，更应当尽量消受你们眼前欢愉的生活！

菊花上市，父亲又忙了。今年种得多不多？我案头只有水仙花，还没有开，总是含苞，总是希望，当常引起我的喜悦。

快到晚餐的时候了。美国的女孩子，真爱打扮，尤其是夜间。第一遍钟响,就忙着穿衣敷粉,纷纷晚妆。夜夜晚餐桌上,个个花枝招展的。“巧笑倩兮,美目盼兮,彼美人兮,西方之人兮。”我曾戏译这四句诗给她们听。攒三聚五的凝神向我,听罢相顾,无不欢笑。

不多说什么了,只有“珍重”二字,愿彼此牢牢守着!

冰　心

十,廿四夜,一九二三。闭壁楼。

倘若你们愿意,不妨将这封信分给我们的小朋友看看。途中书信,正在整理,一两天内,不见得能写寄。将此塞责,也是慰情聊胜无呵!又书。

通　讯　九

这是我姊姊由病院寄给父亲的一封信,描写她病中的生活和感想,真是比日记还详。我想她病了,一定不能常写信给“儿童世界”的小读者。也一定有许多的小读者,希望得着她的消息。所以我请于父亲,将她这封信发表。父亲允许了,我就略加声明当作小引,想姊姊不至责我多事?

二二,一,一九二四,冰仲,北京交大

亲爱的父亲:

我不愿告诉我的恩慈的父亲,我现在是在病院里;想而尤

不愿有我的任一件事,隐瞒着不叫父亲知道!横竖信到日,我一定已经痊愈,病中的经过,正不妨作记事看。

自然又是旧病了,这病是从母亲来的。我病中没有分毫不适,我只感谢上苍,使母亲和我的体质上,有这样不模糊的连结。血赤是我们的心,是我们的爱,我爱母亲,也并爱了我的病!

前两天的夜里——病院中没有日月,我也想不起来——S女士请我去晚餐。在她小小的书室里,灭了灯,燃着闪闪的烛,对着熊熊的壁炉的柴火,谈着东方人的故事。——一回头我看见一轮淡黄的月,从窗外正照着我们;上下两片轻绡似的白云,将她托住。S女士也回头惊喜赞叹,匆匆的饮了咖啡,披上外衣,一同走了出去。——原来不仅月光如水,疏星也在天河边闪烁。

她指点给我看:那边是织女,那个是牵牛,还有仙女星,猎户星,孪生的兄弟星,王后星,末后她悄然的微笑说:"这些星星方位和名字,我一一牢牢记住。到我衰老不能行走的时候,我卧在床上,看着疏星从我窗外度过,那时便也和同老友相见一般的喜悦。"她说着起了微喟。月光照着她飘扬的银白的发,我已经微微的起了感触:如何的凄清又带着诗意的句子呵!

我问她如何会认得这些星辰的名字,她说是因为她的弟弟是航海家的缘故,这时父亲已横上我的心头了!

记否去年的一个冬夜,我同母亲夜坐,父亲回来的很晚。我迎着走进中门,朔风中父亲带我立在院里,也指点给我看:这边是天狗,那边是北斗,那边是箕星。那时我觉得父亲的智慧是无限的,知道天空缥缈之中,一切微妙的事,——又是一年了!

月光中S女士送我回去,上下的曲径上,缓缓的走着。我心中悄然不怡——半夜便病了。

早晨还起来,早餐后又卧下。午后还上了一课,课后走了出来,天气好似早春,慰冰湖波光荡漾。我慢慢的走到湖旁,临流坐下,觉得弱又无聊。晚霞和湖波的细响,勉强振起我的精神来,黄昏时才回去。夜里九时,她们发觉了,立时送我入了病院。

医院是在小山上学校的范围之中,夜中到来看不真切。医生和看护妇在灯光下注视着我的微微的笑容,使我感到一种无名的感觉。——一夜很好,安睡到了天晓。

早晨绝早,看护妇抱着一大束黄色的雏菊,是闭壁楼同学送来的。我忽然下泪忆起在国内病时床前的花了,——这是第一次。

这一天中睡的时候最多,但是花和信,不断的来,不多时便屋里满了清香。玫瑰也有,菊花也有,还有许多不知名的。每封信都很有趣味,但信末的名字我多半不认识。因为同学多了,只认得面庞,名字实在难记!

我情愿在这里病,饮食很精良,调埋的又细心。我一切不必自已劳神,连头都是人家替我梳的。我的床一日推移几次,早晨便推近窗前。外望看见礼拜堂红色的屋顶和塔尖,看见图书馆,更隐隐的看见了慰冰湖对岸秋叶落尽,楼台也露了出来。近窗有一株很高的树,不知道是什么名字。昨日早上,我看见一只红头花翎的啄木鸟,在枝上站着,好一会才飞走。又看见一头很小的松鼠,在上面往来跳跃。

从看护妇递给我的信中,知道许多师长同学来看我,都被医生拒绝了。我自此便闭居在这小楼里,——这屋里清雅绝尘,有加无已的花,把我围将起来。我神志很清明,却又混沌,一切感想都不起,只停在"臣门如市,臣心如水"的状态之中。

何从说起呢？不时听得电话的铃声响：

“……医院……她么？……很重要……不许接见……眠食极好，最要的是静养，……书等明天送来罢，……花和短信是可以的……”

差不多都是一样的话，我倚枕模糊可以听见。猛忆起今夏病的时候，电话也一样的响，冰仲弟说：

“姊姊么——好多了，谢谢！”

觉得我真是多事，到处叫人家替我忙碌——这一天在半醒半睡中度过。

第二天头一句问看护妇的话，便是“今天许我写字么？”她笑说：“可以的，但不要写的太长。”我喜出望外，第一封便写给家里，报告我平安。不是我想隐瞒，因不知从哪里说起。第二封便给了闭璧楼九十六个“西方之人兮”的女孩子。我说：

“感谢你们的信和花带来的爱！——我卧在床上，用悠暇的目光，远远看着湖水，看着天空。偶然也看见草地上，图书馆，礼堂门口进出的你们。我如何的幸福呢？没有那几十页的诗，当功课的读。没有晨兴钟，促我起来。我闲闲的背着诗句，看日影渐淡，夜中星辰当着我的窗户；如不是因为想你们，我真不想回去了！”

信和花仍是不断的来。黄昏时看护妇进来，四顾室中，她笑着说：“这屋里成了花窖了。”我喜悦的也报以一笑。

我素来是不大喜欢菊花的香气的，竟不知她和着玫瑰花香拂到我的脸上时，会这样的甜美而浓烈！——这时趁了我的心愿了！日长昼永，万籁无声。一室之内，惟有花与我。在天然的禁令之中，杜门谢客，过我的清闲回忆的光阴。

把往事一一提起，无一不使我生美满的微笑。我感谢上苍:过去的二十年中,使我一无遗憾,只有这次的别离,忆起有些儿惊心!

B夫人早晨从波士顿赶来,只有她闯入这清严的禁地里。医生只许她说,不许我说。她双眼含泪,苍白无主的面颜对着我,说:“本想我们有一个最快乐的感恩节……然而不要紧的,等你好了,我们另有一个……”

我握着她的手,沉静的不说一句话。等她放好了花,频频回顾的出去之后,望着那“母爱”的后影,我潸然泪下——这是第二次。

夜中绝好,是最难忘之一夜。在众香国中,花气氤氲。我请看护妇将两盏明灯都开了,灯光下,床边四围,浅绿浓红,争妍斗媚,如低眉,如含笑。窗外严净的天空里,疏星炯炯,枯枝在微风中,颤摇有声。我凝然肃然,此时此心可朝天帝!

猛忆起两句:

消受白莲花世界,
风来四面卧中央。

这福是不能多消受的!果然,看护妇微笑的进来,开了窗,放下帘子,挪好了床,便一瓶一瓶的都抱了出去,回头含笑对我说:“太香了,于你不宜,而且夜中这屋里太冷。”——我只得笑着点首,然终留下了一瓶玫瑰,放在窗台上。在黑暗中,她似乎知道现在独有她慰藉我,便一夜的温香不断——

"花怕冷,我便不怕冷么?"我因失望起了疑问,转念我原是不应怕冷的,便又寂然心喜。

日间多眠,夜里便十分清醒。到了连书都不许看时,才知道能背诵诗句的好处,几次听见车声隆隆走过,我忆起:

水调歌从邻院度,
雷声车是梦中过。

朋友们送来一本书,是
Student's Book of Inspiration
内中有一段恍惚说:
"世界上最难忘的是自然之美,……有人能增加些美到世上去,这人便是天之骄子。"

真的,最难忘的是自然之美!今日黄昏时,窗外的慰冰湖,银海一般的闪烁,意态何等清寒?秋风中的枯枝,丛立在湖岸上,何等疏远?秋云又是如何的幻丽?这广场上忽阴忽晴,我病中的心情,又是何等的飘忽无着?

沉黑中仍是满了花香,又忆起:

到死未消兰气息,
他生宜护玉精神!

父亲!这两句我不应写了出来,或者会使你生无谓的难过。但我欲其真,当时实是这样忽然忆起来的。

没有这般的孤立过，连朋友都隔绝了，但读信又是怎样的有趣呢？

一个美国朋友写着：

“从村里回来，到你屋去，竟是空空。我几乎哭了出来！看见你相片立在桌上，我也难过。告诉我，有什么我能替你做的事情，我十分乐意听你的命令！”

又一个写着说：

“感恩节近了，快康健起来罢！大家都想你，你长在我们的心里！”

但一个日本的朋友写着：

“生命是无定的，人们有时虽觉得很近，实际上却是很远。你和我隔绝了，但我觉得你是常常近着我！”

中国朋友说：

“今天怎么样，要看什么中国书么？”

都只寥寥数字，竟可见出国民性——一夜从杂乱的思想中度过。

清早的时候，扫除橡叶的马车声，辗破晓静。我又忆起：

马蹄隐隐声隆隆，
入门下马气如虹。

底下自然又连带到：

我今垂翅负天鸿，
他日不羞蛇作龙！

这时天色便大明了。

今天是感恩节,窗外的树枝都结上严霜,晨光熹微,湖波也凝而不流,做出初冬天气。——今天草场上断绝人行,个个都回家过节去了。美国的感恩节如同我们的中秋节一般,是家族聚会的日子。

父亲!我不敢说是"每逢佳节倍思亲",因为感恩节在我心中,并没有什么甚深的观念。然而病中心情,今日是很惆怅的。花影在壁,花香在衣。濛濛的朝霭中,我默望窗外,万物无语,我不禁泪下。——这是第三次。

幸而我素来是不喜热闹的。每逢佳节,就想到幽静的地方去。今年此日避到这小楼里,也是清福。昨天偶然忆起辛幼安的《青玉案》:

众里寻他千百度——
　蓦然回首,
　　那人却在
　　　灯火阑珊处。

我随手便记在一本书上,并附了几个字:

"明天是感恩节,人家都寻欢乐去了,我却闭居在这小楼里。然而忆到这孤芳自赏,别有怀抱的句子,又不禁喜悦的笑了。"

花香缠绕笔端,终日寂然。我这封信时作时辍,也用了一天工夫。医生替我回绝了许多朋友,我恍惚听见她电话里说:

“她今天看着中国的诗，很平静，很喜悦！”

我便笑了，我昨天倒是看诗，今天却是拿书遮着我的信纸。父亲！我又淘气了！

看护妇的严净的白衣，忽然现在我的床前。她又送一束花来给我——同时她发觉了我写了许多，笑着便来禁止，我无法奈她何。她走了，她实是一个最可爱的女子，当她在屋里蹀躞之顷，无端有“身长玉立”四字浮上脑海。

当父亲读到这封信时，我已生龙活虎般在雪中游戏了，不要以我置念罢！——寄我的爱与家中一切的人！我记念着他们每一个！

这回真不写了，——父亲记否我少时的一夜，黑暗里跑到山上的旗台上去找父亲，一星灯火里，我们在山上下彼此唤着。我一忆起，心中就充满了爱感。如今是隔着我们挚爱的海洋呼唤着了！亲爱的父亲，再谈罢，也许明天我又写信给你！

女儿莹倚枕

十一，二十九，一九二三。

通 讯 十

亲爱的小朋友：

我常喜欢挨坐在母亲的旁边，挽住她的衣袖，央求她述说

我幼年的事。

母亲凝想地,含笑地,低低地说:

“不过有三个月罢了,偏已是这般多病。听见端药杯的人的脚步声,已知道惊怕啼哭。许多人围在床前,乞怜的眼光,不望着别人,只向着我,似乎已经从人群里认识了你的母亲!”

这时眼泪已湿了我们两个人的眼角!

“你的弥月到了,穿着舅母送的水红绸子的衣服,戴着青缎沿边的大红帽子,抱出到厅堂前。因看你丰满红润的面庞,使我在姊妹妯娌群中,起了骄傲。

“只有七个月,我们都在海舟上,我抱你站在阑旁。海波声中,你已会呼唤‘妈妈’和‘姊姊’。”

对于这件事,父亲和母亲还不时的起争论。父亲说世上没有七个月会说话的孩子。母亲坚执说是的。在我们家庭历史中,这事至今是件疑案。

“浓睡之中猛然听得丐妇求乞的声音,以为母亲已被她们带去了。冷汗被面的惊坐起来,脸和唇都青了,呜咽不能成声。我从后屋连忙进来,珍重的揽住,经过了无数的解释和安慰。自此后,便是睡着,我也不敢轻易的离开你的床前。”

这一节,我仿佛记得,我听时写时都重新起了呜咽!

“有一次你病得重极了。地上铺着席子,我抱着你在上面膝行。正是暑月,你父亲又不在家。你断断续续说的几句话,都不是三岁的孩子所能够说的。因着你奇异的智慧,增加了我无名的恐怖。我打电报给你父亲,说我身体和灵魂上都已不能再支持。忽然一阵大风雨,深忧的我,重病的你,和你疲乏的乳母,都沉沉的睡了一大觉。这一番风雨,把你又从死神的怀抱里,接了过来。”

我不信我智慧,我又信我智慧!母亲以智慧的眼光,看万物都是智慧的,何况她的唯一挚爱的女儿?

“头发又短,又没有一刻肯安静。早晨这左右两个小辫子,总是梳不起来。没有法子,父亲就来帮忙:‘站好了,站好了,要照相了!’父亲拿着照相匣子,假作照看。又短又粗的两个小辫子,好容易天天这样的将就的编好了。”

我奇怪我竟不懂得向父亲索要我每天照的相片!

“陈妈的女儿宝姐,是你的好朋友。她来了,我就关你们两个人在屋里,我自己睡午觉。等我醒来,一切的玩具,小人小马,都当做船,飘浮在脸盆的水里,地上已是水汪汪的。”

宝姐是我一个神秘的朋友,我自始至终不记得,不认识她。然而从母亲口里,我深深的爱了她。

“已经三岁了,或者快四岁了。父亲带你到他的兵舰上去,大家匆匆的替你换上衣服。你自己不知什么时候,把一只小木鹿,放在小靴子里。到船上只要父亲抱着,自己一步也不肯走。放到地上走时,只有一跛一跛的。大家奇怪了,脱下靴子,发现了小木鹿。父亲和他的许多朋友都笑了。——傻孩子!你怎么不会说?”

母亲笑了,我也伏在她的膝上羞愧的笑了。——回想起来,她的质问,和我的羞愧,都是一点理由没有的。十几年前事,提起当面前事说,真是无谓。然而那时我们中间弥漫了痴和爱!

“你最怕我凝神,我至今不知是什么缘故。每逢我凝望窗外,或是稍微的呆了一呆,你就过来呼唤我,摇撼我,说:‘妈妈,你的眼睛怎么不动了?’我有时喜欢你来抱住我,便故意的凝神不动。”

我自己也不知道是什么缘故。也许母亲凝神,多是忧愁

的时候，我要搅乱她的思路，也未可知。——无论如何，这是个隐谜！

“然而你自己却也喜凝神。天天吃着饭，呆呆的望着壁上的字画，桌上的钟和花瓶，一碗饭数米粒似的，吃了好几点钟。我急了，便把一切都挪移开。”

这件事我记得，而且很清楚，因为独坐沉思的脾气至今不改。

当她说这些事的时候，我总是脸上堆着笑，眼里满了泪，听完了用她的衣袖来印我的眼角，静静的伏在她的膝上。这时宇宙已经没有了，只母亲和我，最后我也没有了，只有母亲；因为我本是她的一部分！

这是如何可惊喜的事，从母亲口中，逐渐的发现了，完成了我自己！她从最初已知道我，认识我，喜爱我，在我不知道不承认世界上有个我的时候，她已爱了我了。我从三岁上，才慢慢的在宇宙中寻到了自己，爱了自己，认识了自己；然而我所知道的自己，不过是母亲意念中的百分之一，千万分之一。

小朋友！当你寻见了世界上有一个人，认识你，知道你，爱你，都千百倍的胜过你自己的时候，你怎能不感激，不流泪，不死心塌地的爱她，而且死心塌地的容她爱你？

有一次，幼小的我，忽然走到母亲面前，仰着脸问说：“妈妈，你到底为什么爱我？”母亲放下针线，用她的面颊，抵住我的前额，温柔地，不迟疑地说：“不为什么，——只因你是我的女儿！”

小朋友！我不信世界上还有人能说这句话！“不为什么”这四个字，从她口里说出来，何等刚决，何等无回旋！她爱我，不是因为我是“冰心”，或是其他人世间的一切虚伪的称呼和名字！她的爱是不附带任何条件的，唯一的理由，就是我是她的女儿。总之,她的爱,是屏除一切,拂拭一切,层层的麾开我前后左右所蒙罩的,使我成为"今我"的元素,而直接的来爱我的自身!

假使我走至幕后,将我二十年的历史和一切都更变了,再走出到她面前,世界上纵没有一个人认识我,只要我仍是她的女儿,她就仍用她坚强无尽的爱来包围我。她爱我的肉体,她爱我的灵魂,她爱我前后左右,过去,将来,现在的一切!

天上的星辰,骤雨般落在大海上,嗤嗤繁响。海波如山一般的汹涌,一切楼屋都在地上旋转,天如同一张蓝纸卷了起来。树叶子满空飞舞,鸟儿归巢,走兽躲到它的洞穴。万象纷乱中,只要我能寻到她,投到她的怀里……天地一切都信她!她对于我的爱,不因着万物毁灭而更变!

她的爱不但包围我,而且普遍的包围着一切爱我的人;而且因着爱我,她也爱了天下的儿女,她更爱了天下的母亲。小朋友!告诉你一句小孩子以为是极浅显,而大人们以为是极高深的话,"世界便是这样的建造起来的!"

世界上没有两件事物,是完全相同的,同在你头上的两根丝发,也不能一般长短。然而——请小朋友们和我同声赞美!只有普天下的母亲的爱,或隐或显,或出或没,不论你用斗量,用尺量,或是用心灵的度量衡来推测;我的母亲对于我,你的母亲对于你,她的和他的母亲对于她和他;她们的爱是一般的长阔高深,分毫都不差减。小朋友!我敢说,也敢信古往今来,没有一个敢来驳我这句话。当我发觉了这神圣的秘密的时候,我竟欢喜感动得伏案痛哭!

我的心潮,沸涌到最高度,我知道于我的病体是不相宜的,而且我更知道我所写的都不出乎你们的智慧范围之外。——窗外正是下着紧一阵慢一阵的秋雨,玫瑰花的香气,也正无声

的赞美她们的“自然母亲”的爱！

我现在不在母亲的身畔，——但我知道她的爱没有一刻离开我，她自己也如此说！——暂时无从再打听关于我的幼年的消息；然而我会写信给我的母亲。我说：“亲爱的母亲，请你将我所不知道的关于我的事，随时记下寄来给我。我现在正是考古家一般的，要从深知我的你口中，研究我神秘的自己。”

被上帝祝福的小朋友！你们正在母亲的怀里。——小朋友！我教给你，你看完了这一封信，放下报纸，就快快跑去找你的母亲——若是她出去了，就去坐在门槛上，静静的等她回来——不论在屋里或是院中，把她寻见了，你便上去攀住她，左右亲她的脸，你说：“母亲！若是你有工夫，请你将我小时候的事情，说给我听！”等她坐下了，你便坐在她的膝上，倚在她的胸前，你听得见她心脉和缓的跳动，你仰着脸，会有无数关于你的，你所不知道的美妙的故事，从她口里天乐一般的唱将出来！

然后，——小朋友！我愿你告诉我，她对你所说的都是什么事。

我现在正病着，没有母亲坐在旁边，小朋友一定怜念我，然而我有说不尽的感谢！造物者将我交付给我母亲的时候，竟赋予了我以记忆的心才；现在又从忙碌的课程中替我匀出七日夜来，回想母亲的爱。我病中光阴，因着这回想，寸寸都是甜蜜的。

小朋友，再谈罢，致我的爱与你们的母亲！

你的朋友　冰　心

十二，五晨，一九二三。圣卜生疗养院，威尔斯利。

通 讯 十 一

小朋友：

从圣卜生医院寄你们一封长信之后，又是二十天了。十二月十三之晨，我心酸肠断，以为从此要尝些人生失望与悲哀的滋味，谁知却有这种柳暗花明的美景。但凡有知，能不感谢！

小朋友们知道我不幸病了，我却没有想到这病是须休息的，所以当医生缓缓的告诉我的时候，我几乎神经错乱。十三、十四两夜，凄清的新月，射到我的床上，瘦长的载霜的白杨树影，参错满窗。——我深深的觉出了宇宙间的凄楚与孤立。一年来的计划，全归泡影，连我自己一身也不知是何底止。秋风飒然，我的头垂在胸次。我竟恨了西半球的月，一次是中秋前后两夜，第二次便是现在了，我竟不知明月能伤人至此！

昏昏沉沉的过了两日，十五早起，看见遍地是雪，空中犹自飞舞，湖上凝阴，意态清绝。我肃然倚窗无语，对着慰冰纯洁的饯筵，竟麻木不知感谢。下午一乘轻车，几位师长带着心灰意懒的我，雪中驰过深林，上了青山(The Blue Hills)到了沙穰疗养院。

如今窗外不是湖了，是四围山色之中，丛密的松林，将这座楼圈将起来。清绝静绝，除了一天几次火车来往，一道很浓的白烟从两重山色中串过，隐隐的听见轮声之外，轻易没有什么声息。单弱的我，拼着颓然的在此住下了！

一天一天的过去觉得生活很特别。十二岁以前半玩半读的时候不算外，这总是第一次抛弃一切，完全来与“自然”相对。

以读书,凝想,赏明月,看朝霞为日课。有时夜半醒来,万籁俱寂,皓月中天,悠然四顾,觉得心中一片空灵。我纵欲修心养性,哪得此半年空闲,幕天席地的日子,百忙中为我求安息,造物者！我对你安能不感谢?

日夜在空旷之中,我的注意就有了更动。早晨朝霞是否相同?夜中星辰曾否转移了位置?都成了我关心的事。在月亮左侧不远,一颗很光明的星,是每夜最使我注意的。自此稍右,三星一串,闪闪照人,想来不是"牵牛"就是"织女"。此外秋星窈窕,都罗列在我的枕前。就是我闭目宁睡之中,它们仍明明在上临照我,无声的环立,直到天明,将我交付与了朝霞,才又无声的历落隐入天光云影之中。

说到朝霞,我要搁笔,只能有无言的赞美。我所能说的就是朝霞颜色的变换,和晚霞恰恰相反。晚霞的颜色是自淡而浓,自金红而碧紫。朝霞的颜色是自浓而深,自青紫而深红,然后一轮朝日,从松岭捧将上来,大地上一切都从梦中醒觉。

便是不晴明的天气,夜卧听檐上夜雨,也是心宁气静。头两夜听雨的时候,忆起什么"……第一是难听夜雨！天涯倦旅,此时心事良苦……""洒空阶更阑未休……似楚江暝宿,风灯零乱,少年羁旅……""……可惜流年,忧愁风雨,树犹如此……""……细雨梦回鸡塞远,小楼吹彻玉笙寒……"等句,心中很惆怅的,现在已好些了。小朋友！我笔不停挥,无意中写下这些词句。你们未必看过,也未必懂得,然而你们尽可不必研究。这些话,都在人情之中,你们长大时,自己都会写的,特意去看,反倒无益。

山中虽不大记得日月,而圣诞的观念,却充满在同院二十二个女孩的心中。二十四夜在楼前雪地中间的一棵松树上,结些灯彩,树巅一颗大星星,树下更挂着许多小的。那夜我照常卧在廊下,只有十二点钟光景,忽然柔婉的圣诞歌声,沉沉的将我从浓睡中引将出来。开眼一看,天上是月,地下是雪,中间一颗大灯星,和一个猛醒的人。这一切完全了一个透彻晶莹的世界!想起一千九百二十三年前,一个纯洁的婴孩,今夜出世,似他的完全的爱,似他的完全的牺牲,这个彻底光明柔洁的夜,原只是为他而有的。我侧耳静听,忆起旧作《天婴》中的两节:

马槽里可能睡眠?
　凝注天空——
这清亮的歌声,
　珍重的诏语,
　催他思索,
想只有泪珠盈眼,
　热血盈腔。
奔赴着十字架,
　奔赴着荆棘冠,
想一生何曾安顿?
　繁星在天,
　夜色深深,
开始的负上罪担千钧!

此时心定如冰,神清若水,默然肃然,直至歌声渐远,隐隐的只余山下孩童奔逐欢笑祝贺之声,我渐渐又入梦中。梦见冰仲肩着四弦琴,似愁似喜的站在我面前拉着最熟的调子是"我如何能离开你?"声细如丝,如不胜清怨,我凄惋而醒。天幕沉沉,正是圣诞日!

朝阳出来的时候，四围山中松梢的雪，都映出粉霞的颜色。一身似乎拥在红云之中，几疑自己已经仙去。正在凝神，看护妇已出来将我的床从廊上慢慢推到屋里，微笑着道了“圣诞大喜”，便捧进几十个红丝缠绕，白纸包裹的礼物来，堆在我的床上。一包一包的打开，五光十色的玩具和书，足足的开了半点钟。我喜极了，一刹那顷童心来复，忽然想要跑到母亲床前去，摇醒她，请她过目。猛觉一身在万里外！……只无聊的随便拿起一本书来，颠倒的，心不在焉的看。

这座楼素来没有火，冷清清的如同北冰洋一般。难得今天开了一天的汽管，也许人坐在屋里，觉得适意一点。果点和玩具和书，都堆叠在桌上，而弟弟们以及小朋友们却不能和我同乐。一室寂然，窗外微阴，雪满山中。想到如这回不病，此时正在纽约或华盛顿，尘途热闹之中，未必能有这般的清福可享，又从失意转成喜悦。

晚上院中也有一个庆贺的会，在三层楼下。那边露天学校的小孩子们也都来了，约有二十个。——那些孩子都是居此治疗的，那学校也是为他们开的。我还未曾下楼，不得多认识他们。想再有几天，许我游山的时候，一定去看他们上课游散的光景，再告诉你们些西半球带病行乐的小朋友们的消息——厅中一棵装点的极其辉煌的圣诞树，上面系着许多的礼物。医生一包一包的带下去，上面注有各人的名字，附着滑稽诗一首，是互相取笑的句子，那礼物也是极小却极有趣味的东西。我得了一支五彩漆管的铅笔，一端有个橡皮帽子，那首诗是：

亲爱的，你天天在床上写字，写字，

必有一日犯了医院的规矩，

墨水沾污了床单。

给你这一支铅笔，还有橡皮，

好好的用罢，

可爱的孩子！

医生看护以及病人，把那厅坐满了。集合八国的人，老的少的，唱着同调的曲，也倒灯火辉煌，歌声嘹亮的过了一个完全的圣诞节。

二十六夜大家都觉乏倦了，鸦雀无声的都早去安息。雪地上那一颗灯星，却仍是明明远射。我关上了屋里的灯，倚窗而立，灯光入户，如同月光一般。忆起昨夜那些小孩子，接过礼物攒三集五，聚精凝神，一层层打开包裹的光景，正在出神。外间敲门，进来了一个希腊女孩子，她从沉黑中笑道，"好一个诗人呵！我不见灯光，以为你不在屋里呢！"我悄然一笑，才觉得自己是在山间万静之中。

自那时又起了乡愁——恕我不写了。此信到日，正是故国的新年，祝你们快乐平安！

冰　心

十二，二十六，一九二三，沙穰疗养院。

通讯十二

小朋友：

满廊的雪光，开读了母亲的来信，依然不能忍的流下几滴

泪。——四围山上的层层的松枝,载着白绒般的很厚的雪,沉沉下垂。不时的掉下一两片手掌大的雪块,无声的堆在雪地上。小松呵!你受造物的滋润是过重了!我这过分的被爱的心,又将何处去交卸!

小朋友,可怪我告诉过你们许多事,竟不曾将我的母亲介绍给你。——她是这么一个母亲:她的话句句使做儿女的人动心,她的字,一点一划都使做儿女的人下泪!

我每次得她的信,都不曾预想到有什么感触的,而往往读到中间,至少有一两句使我心酸泪落。这样深浓,这般诚挚,开天辟地的爱情呵!愿普天下一切有知,都来颂赞!

以下节录母亲信内的话,小朋友,试当她是你自己的母亲,你和她相离万里,你读的时候,你心中觉得怎样?

我读你《寄母亲》的一首诗,我忍不住下泪,此后你多来信,我就安慰多了!　　十月十八日

我心灵是和你相连的。不论在做什么事情,心中总是想起你来……　　十月二十七日

我们是相依为命的。不论你在什么地方,做什么事情,你母亲的心魂,总绕在你的身旁,保护你抚抱你,使你安安稳稳一天一天的过去。　　十一月九日

我每遇晚饭的时候,一出去看见你屋中电灯未息,就仿佛你在屋里,未来吃饭似的,就想叫你,猛忆你不在家,我就很难过!　　十一月二十二日

你的来信和相片，我差不多一天看了好几次，读了好几回。到夜中睡觉的时候，自然是梦魂飞越在你的身旁，你想做母亲的人，哪个不思念她的孩子？……

十一月二十六日

经过了几次的酸楚我忽发悲愿，愿世界上自始至终就没有我，永减母亲的思念。一转念纵使没有我，她还可有别的女孩子做她的女儿，她仍是一般的牵挂，不如世界上自始至终就没有母亲。——然而世界上古往今来百千万亿的母亲，又当如何？且我的母亲已经彻底的告诉我："做母亲的人，哪个不思念她的孩子！"

为此我透澈地觉悟，我死心塌地的肯定了我们居住的世界是极乐的。"母亲的爱"打千百转身，在世上幻出人和人，人和万物种种一切的互助和同情。这如火如荼的爱力，使这疲缓的人世，一步一步的移向光明！感谢上帝！经过了别离，我反复思寻印证，心潮几番动荡起落，自我和我的母亲，她的母亲，以及他的母亲接触之间，我深深的证实了我年来的信仰，绝不是无意识的！

真的，小朋友！别离之前，我不曾懂得母亲的爱动人至此，使人一心一念，神魂奔赴……我不须多说，小朋友知道的比我更彻底，我只愿这一心一念，永住永存，尽我在世的光阴，来讴歌颂扬这神圣无边的爱！圣保罗在他的书信里说过一句石破天惊的话，是："我为这福音的奥秘，做了带锁链的使者。"一个使者，却是带着奥妙的爱的锁链的！小朋友，请你们监察我，催我自强不息的来奔赴这理想的最高的人格！

这封信不是专为介绍我母亲的自身，我要提醒的是"母亲"

这两个字。谁无父母,谁非人子?母亲的爱,都是一般;而你们天真中的经验,却千百倍的清晰浓挚于我!母亲的爱,竟不能使我在人前有丝毫的得意和骄傲,因为普天下没有一个没有母亲的孩子。小朋友,谁道上天生人有厚薄?无贫富,无贵贱,造物者都预备一个母亲来爱他。又试问鸿濛初辟时,又哪里有贫富贵贱,这些人造的制度阶级?遂令当时人类在母亲的爱光之下,个个自由,个个平等!

你们有这个经验么?我往往有爱世上其他物事胜过母亲的时候。为着兄弟朋友,为着花鸟虫鱼,甚至于为着一本书一件衣服,和母亲违拗争执。当时只弄娇痴,就是母亲,也未曾介意。如今病榻上寸寸回想,使我有无限的惊悔。小朋友!为着我,你们自此留心,只有母亲是真爱你的。她的劝诫,句句有天大的理由。花鸟虫鱼的爱是暂时的,母亲的爱是永远的!

时至今日,我偶然觉悟到,因着母亲,使我承认了世间一切其他的爱,又冷淡了世间一切其他的爱。

青山雪霁,意态十分清冷。廊上无人,只不时的从楼下飞到一两声笑语,真是幽静极了。造物者的意旨,何等的深沉呵!把我从岁暮的尘嚣之中,提将出来,叫我在深山万静之中,来辗转思索。

说到我的病,本不是什么大症候,也就无所谓痊愈,现在只要慢慢的休息着。只是逃了几个月的学,其中也有幸有不幸。

这是一九二三年的末一日,小朋友,我祝你们的进步。

冰　心

十二,三十一,一九二三,青山沙穰。

通 讯 十 三

亲爱的母亲：

这封信母亲看到时，不知是何情绪。——曾记得母亲有一个女儿，在母亲身畔二十年，曾招母亲欢笑，也曾惹母亲烦恼。六个月前，她竟横海去了。她又病了，在沙穰休息着。这封信便是她写的。

如今她自己寂然的在灯下，听见楼下悠扬凄婉的音乐，和阑旁许多女孩子的笑声，她只不出去。她刚复了几封国内朋友的信，她忽然心绪潮涌，是她到沙穰以来，第一次的惊心。人家问她功课如何？圣诞节曾到华盛顿纽约否？她不知所答。光阴从她眼前飞过，她一事无成，自己病着玩。

她如结的心，不知交给谁慰安好。——她倦弱的腕，在碎纸上纵横写了无数的"算未抵人间离别！"直到写了满纸，她自己才猛然惊觉，也不知这句从何而来！

母亲呵！我不应如此说，我生命中只有"花"，和"光"，和"爱"；我生命中只有祝福，没有咒诅。——但些时的怅惘，也该觉着罢！些时的悲哀而平静的思潮，永在祝福中度生活的我，已支持不住。看！小舟在怒涛中颠簸，失措的舟子，抱着樯竿，哀唤着"天妃"的慈号。我的心舟在起落万丈的思潮中震荡时，母亲！纵使你在万里外，写到"母亲"两个字在纸上时，我无主的心，已有了着落。

一月十日夜

昨夜写到此处,看护进来催我去睡。当时虽有无限的哀怨,而一面未尝不深幸有她来阻止我,否则尽着我往下写,不宁的思潮之中,不知要创造出怎样感伤的话来!

母亲!今日沙穰大风雨,天地为白,草木低头。晨五时我已觉得早霞不是一种明媚的颜色,惨绿怪红,凄厉得可怖!只有八时光景,风雨漫天而来,大家从廊上纷纷走进自己屋里,拼命的推着关上门窗。白茫茫里,群山都看不见了。急雨打进窗纱,直击着玻璃,从窗隙中溅进来。狂风循着屋脊流下,将水洞中积雨,吹得喷泉一般的飞洒。我的烦闷,都被这惊人的风雨,吹打散了。单调的生活之中,原应有个大破坏。——我又忽然想到此时如在约克逊舟上,太平洋里定有奇景可观。

我们的生活是太单调了,只天天随着钟声起卧休息。白日的生涯,还不如梦中热闹。松树的绿意总不改,四围山景就没有变迁了。我忽然恨松柏为何要冬青,否则到底也有个红白绿黄的更换点缀。

为着止水般无聊的生活,我更想弟弟们了!这里的女孩子,只低头刺绣。静极的时候,连针穿过布帛的声音都可以听见。我有时也绣着玩,但不以此为日课;我看点书,写点字,或是倚阑看村里的小孩子,在远处林外溜冰,或推小雪车。有一天静极忽发奇想,想买几挂大炮仗来放放,震一震这寂寂的深山,叫它发空前的回响。——这里,做梦也看不见炮仗。我总想得个发响的东西玩玩。我每每幻想有一管小手枪在手里,安上子弹,抬起枪来,一扳,砰的一声,从铁窗纱内穿将出去!要不然小汽枪也好,……但这至终都是潜伏在我心中的幻梦。世界不是我一个人的,我不能任意的破坏沙穰一角的柔静与和平。

母亲！我童心已完全来复了。在这里最适意的，就是静悄悄的过个性的生活。人们不能随便来看，一定的时间和风雪的长途都限制了他们。于是我连一天两小时的无谓的周旋，有时都不必作。自己在门窗洞开，阳光满照的屋子里，或一角回廊上，三岁的孩子似的，一边忙忙的玩，一边呜呜的唱，有时对自己说些极痴騃的话。休息时间内，偶然睡不着，就自己轻轻的为自己唱催眠的歌。——一切都完全了，只没有母亲在我旁边！

一切思想，也都照着极小的孩子的径路奔放发展：每天卧在床上，看护把我从屋里推出廊外的时候，我仰视着她，心里就当她是我的乳母，这床是我的摇篮。我凝望天空。有三颗最明亮的星星。轻淡的云，隐起一切的星辰的时候，只有这三颗依然吐着光芒。其中的一颗距那两颗稍远，我当他是我的大弟弟，因为他稍大些，能够独立了。那两颗紧挨着，是我的二弟弟和小弟弟，他两个还小一点，虽然自己奔走游玩，却时时注意到其他的一个，总不敢远远跑开，他们知道自己的弱小，常常是守望相助。

这三颗星总是第一班从暮色中出来，使我最先看见；也是末一班在晨曦中隐去，在众星之后，和我道声“暂别”；因此发起了我的爱怜系恋，便白天也能忆起他们来。起先我有意在星辰的书上，寻求出他们的名字，时至今日，我不想寻求了，我已替他们起了名字，他们的总名是“兄弟星”，他们各颗的名字，就是我的三个弟弟的名字。

小弟弟呵，

我灵魂里三颗光明喜乐的星。

温柔的，

无可言说的，

灵魂深处的孩子呵！

——《繁星》四

如今重忆起来，不知是说弟弟，还是说星星！——自此推想下去，静美的月亮，自然是母亲了。我半夜醒来，开眼看见她，高高的在天上，如同俯着看我，我就欣慰，我又安稳的在她的爱光中睡去。早晨勇敢的灿烂的太阳，自然是父亲了。他从对山的树梢，雍容尔雅的上来，他又温和又严肃的对我说："又是一天了！"我就欢欢喜喜的坐起来，披衣从廊上走到屋里去。

此外满天的星宿，那是我的一切亲爱的人。这样便同时爱了星星，也爱了许多姊妹朋友。——只有小孩子的思想是智慧的，我愿永远如此想；我也愿永远如此信！

窗外仍是狂风雨，我偶然忆起一首诗：题目是《小神秘家》是 Louis Untermeyer 做的，我录译于下；不知当年母亲和我坐守风雨的时候，我也曾说过这样如痴如慧的话没有？

The Young Mystic

We sat together close and warm,

My little tired boy and I —

Watching across the evening sky

The coming of the storm.

No rumblings rose, no thunders crashed,

The west-Wind scarcely sang loud;

But from a huge and solid cloud

The summer lightning flashed,
And then he whispered "Father, watch;
I think God's going to light His moon"——
"And When, my boy" — "Oh very soon:
I saw Him strike a match!"

大意是:

我的困倦的儿子和我,
很暖和的相挨的坐着,
凝望着薄暮天空,
风雨正要来到。

没有隆隆的雷响,
西风也不着意的吹;
只在屯积的浓云中,
有电光闪烁。

这时他低声对我说:"父亲,看看;
我想上帝要点上他的月亮了——"
"孩子,什么时候呢……""呀,快了。
我看见他划了取灯儿!"

风雨仍不止。山上的雪,雨打风吹,完全融化了。下午我还要写点别的文字,我在此停住了。母亲,这封信我想也转给小朋友们看一看,我每忆起他们,就觉得欠他们的债。途中通

讯的碎稿,都在闭璧楼的空屋里锁着呢。她们正百计防止我写字,我不敢去向她们要。我素不轻许愿,无端破了一回例,遗我以日夜耿耿的心;然而为着小孩子,对于这次的许愿,我不曾有半星儿的追悔。只恨先忙后病的我对不起他们。——无限的乡心,与此信一齐收束起,母亲,真个不写了,海外山上养病的女儿,祝你万万福!

冰　心

一,十一,一九二四,青山沙穰。

通讯十四

我的小朋友:

黄昏睡起,闲走着绕到西边回廊上,看一个病的女孩子。站在她床前说着话儿的时候,抬头看见松梢上一星朗耀,她说:"这是你今晚第一颗见到的星儿,对它祝说你的愿望罢!"——同时她低低的度着一支小曲,是:

Star light
Star bright
First star I see to-night
Wish I may
Wish I might
Have the wish I wish to might

小朋友:这是一支极柔媚的儿歌。我不想翻译出来。因为童谣完全以音韵见长,一翻成中国字,念出来就不好听,大意也就是她对我说的那两句话。——倘若你们自己能念,或是姊姊哥哥,姑姑母亲,能教给你们念,也就更好。——她说到此,我略不思索,我合掌向天说:"我愿万里外的母亲,不太为平安快乐的我忧虑!"

扣计今天或明天,就是我母亲接到我报告抱病入山的信之日,不知大家如何商量谈论,长吁短叹;岂知无知无愁的我,正在此过起止水浮云的生活来了呢!

去年十二月十九日,我寄给国内朋友一封信,我说:"沙穰疗养院,冷冰冰如同雪洞一般。我又整天的必须在朔风里。你们围炉的人,怎知我正在冰天雪地中,与造化挣命!"如今想起,又觉得那话说得太无谓,太怨望了,未曾听见挣命有如今这般温柔的挣法!

生,老,病,死,是人生很重大而又不能避免的事。无论怎样高贵伟大的人,对此切己的事,也丝毫不能为力。这时节只能将自己当作第三者,旁立静听着造化的安排。小朋友,我凝神看着造化轻舒慧腕,来安排我的命运的时候,我忍不住失声赞叹他深思和玄妙。

往常一日几次匆匆走过慰冰湖,一边看晚霞,一边心里想着功课。偷闲划舟,抬头望一望滟滟的湖波,低头看滴答滴答消磨时间的手表,心灵中真是太苦了,然而万没有整天的放下正事来赏玩自然的道理。造物者明明在上,看出了我的隐情,眉头一皱,轻轻的赐与我一场病,这病乃是专以抛撇一切,游泛于自然海中为治疗的。

如今呢?过的是花的生活,生长于光天化日之下,微风细

雨之中；过的是鸟的生活，游息于山巅水涯，寄身于上下左右空气环围的巢床里；过的是水的生活，自在的潺潺流走；过的是云的生活，随意的袅袅卷舒。几十页几百页绝妙的诗和诗话，拿起来流水般当功课读的时候，是没有的了。如今不再干那愚拙煞风景的事，如今便四行六行的小诗，也慢慢的拿起，反复吟诵，默然深思。

我爱听碎雪和微雨，我爱看明月和星辰，从前一切世俗的烦忧，占积了我的灵府。偶然一举目，偶然一倾耳，便忙忙又收回心来，没有一次任它奔放过。如今呢，我的心，我不知怎样形容它，它如蛾出茧，如鹰翔空……

碎雪和微雨在檐上，明月和星辰在阑旁，不看也得看，不听也得听，何况病中的我，应以它们为第二生命。病前的我，愿以它们为第二生命而不能的呢？

这故事的美妙，还不止此，——"一天还应在山上走几里路"，这句话从滑稽式的医士口中道出的时候，我不知应如何的欢呼赞美他！小朋友！漫游的生涯，从今开始了！

山后是森林仄径，曲曲折折的在日影掩映中引去，不知有多少远近。我只走到一端，有大岩石处为止。登在上面眺望，我看见满山高高下下的松树。每当我要缥缈深思的时候，我就走这一条路。独自低首行来，我听见干叶枯枝，嘁嘁喳喳在树巅相语。草上的薄冰，踏着沙沙有声，这时节，林影沉荫中，我凝然黯然，如有所戚。

山前是一层层的大山地，爽阔空旷，无边无限的满地朝阳。层场的尽处，就是一个大冰湖，环以小山高树，是此间小朋友们溜冰处。我最喜在湖上如飞的走过。每逢我要活泼天机的时候，我就走这一条路。我沐着微暖的阳光，在树根下坐地，举目望着无际的耀眼生花的银海。我想天地何其大，人类何其小。当归途中冰湖在我足下溜走的时候，清风过耳，我欣然超然，如有所得。

三年前的夏日在北京西山，曾写了一段小文字，我不十分记得了，大约是：

只有早晨的深谷中
可以和自然对语。
　计划定了
　　岩石点头
　　草花欢笑。
造物者！
　在我们星驰的前途
　　路站上
再遥遥的安置下
　　几个早晨的深谷！

原来，造物者为我安置下的几个早晨的深谷，却在离北京数万里外的沙穰，我何其"无心"，造物者何其"有意"？——我还忆起，有"空谷足音"，和杜甫的"绝代有佳人，幽居在空谷"的一首诗，小朋友读过么？我翻来覆去的背诵，只忆得"绝代有佳人，幽居在空谷；自云良家子，零落依草木……摘花不插发，采柏动盈掬——天寒翠袖薄，日暮倚修竹。"这八句来。黄昏时又去了。那时想起的，有"前不见古人，后不见来者，念天地之悠悠，独怆然而涕下。"归途中又诵"云无心以出岫，鸟倦飞而知还。景翳翳以将入，抚孤松而盘桓。"小朋友，愿你们用心读古人书，他们常在一定的环境中，说出你心中要说的话！

春天已在云中微笑，将临到了。那时我更有温柔的消息，报告你们。我逐日远走开去，渐渐又发现了几处断桥流水。试想看，胸中无一事留滞，日日南北东西，试揭自然的帘幕，蹑足走入仙宫……

这样的病，这样的人生，小朋友，请为我感谢。我的生命中是只有祝福，没有咒诅！

安息的时候已到，卧看星辰去了。小朋友，我以无限欢喜的心，祝你们多福。

冰　心

一，十五夜，一九二四，沙穰。

广厅上，四面绿帘低垂。几个女孩子，在一角窗前长椅上，低低笑语。一角话匣子里奏着轻婉的提琴。我在当中的方桌上，写这封信。一个女孩子坐在对面为我画像，她时时唤我抬头看她。我听一听提琴和人家的笑语，一面心潮缓缓流动，一面时时停笔凝神。写完时重读一过，觉得太无次序了，前言不对后语的。然而的确是欢乐的心泉流过的痕迹，不复整理，即付晚邮。

通 讯 十 五

仁慈的小朋友：

若是在你们天大的爱心里，还有空隙，我愿介绍几个可爱的女孩子,愿你们加以怜念!

M住在我的隔屋,是个天真漫烂又是完全神经质的女孩子。稍大的惊和喜,都能使她受极大的激刺和扰乱。她卧病已经四年半了,至今不见十分差减,往往刚觉得好些,夜间热度就又高起来,看完体温表,就听得她伏枕呜咽。她有个完全美满的家庭,却因病隔离了。——我的童心,完全是她引起的。她往往坐在床上自己喃喃的说:“我父亲爱我,我母亲爱我,我爱……”我就倾耳听她底下说什么,她却是说“我爱自己”。我不觉笑了,她也笑了。她的娇憨凄苦的样子,得了许多女伴的爱怜。

R又在M的隔屋,她被一切人所爱,她也爱了一切的人。又非常的技巧,用针用笔,能做许多奇巧好玩的东西。这些日子,正跟着我学中国文字。我第一天教给她“天”、“地”、“人”三字。她说:“你们中国人太玄妙了,怎么初学就念这样高大的字,我们初学,只是‘猫’、‘狗’之类”。我笑了,又觉得她说的有理。她学得极快,口音清楚,写的字也很方正。此外医院中天气表是她测量,星期日礼拜是她弹琴,病人阅看的报纸,是她照管,图书室的钥匙,也在她手里。她短发齐颈,爱好天然,她住院已经六个月了。

E只有十八岁,昨天是她的生日。她没有父母,只有哥哥。十九个月前,她病得很重,送到此处。现在可谓好一点,但还是很瘦弱。她喜欢叫人“妈妈”或“姊姊”。她急切的想望人家的爱念和同情,却又能隐忍不露,常常在寂寞中竭力的使自己活泼欢悦。然而每次在医生注射之后,屋门开处,看见她埋首在高枕之中,宛转流涕——这样的华年!这样的人生!

D是个爱尔兰的女孩子,和我谈话之间常常问我的家庭状

况，尤其常要提到我的父亲，我只是无心的问答。后来旁人告诉我，她的父亲纵酒狂放，醉后时时虐待他的儿女。她的家庭生活，非常的凄苦不幸。她因躲避父亲，和祖母住在一处，听到人家谈到亲爱时，往往流泪。昨天我得到家书，正好她在旁边，她似羡似叹的问道："这是你父亲写的么，多么厚的一封信呵！"幸而她不认得中国字，我连忙说："不是，这是我母亲写的，我父亲很忙，不常写信给我。"她脸红微笑，又似释然。其实每次我的家书，都是父母弟弟每人几张纸！我以为人生最大的不幸，就是失爱于父母。我不能闭目推想，也不敢闭目揣想。可怜的带病而又心灵负着重伤的孩子！

A住在院后一座小楼上，我先不常看见她。从那一次在餐室内偶然回首，无意中她顾我微微一笑，很长的睫毛之下，流着幽娴贞静的眼光，绝不是西方人的态度。出了餐室，我便访到她的名字，和住处。那天晚上，在她的楼里，谈了半点钟的话，惊心于她的腼腆与温柔；谈到海景，她竟赠我一张灯塔的图画。她来院已将两年，据别人说没有什么起色。她终日卧在一角小廊上，廊前是曲径深林，廊后是小桥流水。她告诉我每遇狂风暴雨，看着凄清的环境，想到"人生"两字，辄惊动不怡。我安慰她，她也感谢，然而彼此各有泪痕！

痛苦的人，岂止这几个？限于精神，我不能多述了！

今早黎明即醒。晓星微光，万松淡雾之中，我披衣起坐。举眼望到廊的尽处，我凝注着短床相接，雪白的枕上，梦中转侧的女孩子。只觉得奇愁黯黯，横空而来。生命中何必有爱，爱正是为这些人而有！这些痛苦的心灵，需要无限的同情与怜念。我一人究竟太微小了，仰祷上天之外，只能求助于万里外的纯洁伟大的小朋友！

小朋友！为着跟你们通讯，受了许多友人严峻的责问，责我不宜只以悱恻的思想，贡献你们。小朋友不宜多看这种文字，我也不宜多写这种文字。为小朋友和我两方精神上的快乐与安平，我对于他们的忠告，只有惭愧感谢。然而人生不止欢乐滑稽一方面，病患与别离，只是带着酸汁的快乐之果。沉静的悲哀里，含有无限的庄严。伟大的人生中，是需要这种成分的。范仲淹说："先天下之忧而忧。"佛说："我不入地狱，谁入地狱？"何况这一切本是组成人生的原素，耳闻，眼见，身经，早晚都要了解知道的，何必要隐瞒着可爱的小朋友？我偶然这半年来先经历了这些事，和小朋友说说，想来也不是过分的不宜。

我比她们强多了，我有快乐美满的家庭，在第一步就没有摧伤思想的源路。我能自在游行，寻幽访胜，不似她们缠绵床褥，终日对着恹恹一角的青山。我横竖已是一身客寄，在校在山，都是一样；有人来看，自然欢喜，没有人来，也没有特别的失望与悲哀。她们乡关咫尺，却因病抛离父母，亲爱的人，每每因大风雨雪，山路难行，不能相见，于是怨嗟悲叹。整年整月，置身于怨望痛苦之中，这样的人生！

一而二，二而三的推想下去，世界上的幼弱病苦，又岂止沙穰一隅？小朋友，你们看见的，也许比我还多，扶持慰藉，是谁的责任？见此而不动心呵！空负了上天付与我们的一腔热烈的爱！

所以，小朋友，我们所能做到的，一朵鲜花，一张画片，一句温和的慰语，一回殷勤的访问，甚至于一瞥哀怜的眼光，在我们是不觉得用了多少心，而在单调的枯苦生活，度日如年的病者，已是受了如天之赐。访问已过，花朵已残，在我们久已忘却之后，他们在幽闲的病塌上，还有无限的感谢，回忆与低徊！

我无庸多说，我病中曾受过几个小朋友的赠与。在你们完全而浓烈的爱心中，投书馈送，都能锦上添花，做到好处。小朋友，我无有言说，我只合掌赞美你们的纯洁与伟大。

如今我请你们纪念的这些人，虽然都在海外，但你们忆起这许多苦孩子时，或能以意会意，以心会心的体恤到眼前的病者。小朋友，莫道万里外的怜悯牵萦，没有用处，"以伟大思想养汝精神"！日后帮助你们建立大事业的同情心，便是从这零碎的怜念中练达出来的。

风雪的廊上，写这封信，不但手冷，到此心思也冻凝了。无端拆阅了波士顿中国朋友的一封书，又使我生无穷的感慨。她提醒了我！今日何日，正是故国的岁除，红灯绿酒之间，不知有多少盈盈的笑语。这里却只有寂寂风雪的空山……不写了，你们的热情忠实的朋友，在此遥祝你们有个完全欢庆的新年！

冰　心

二，四，一九二四，沙穰。

通讯十六

二弟冰叔

接到你两封冗长而恳挚的信，使我受了无限的安慰。是的！"从松树隙间穿过的阳光，就是你弟弟问安的使者；晚上清凉的风，就是骨肉手足的慰语！"好弟弟！我喜爱而又感激你的满含着诗意的慰安的话！

出乎意外的又收到你赠我的历代名人词选，我喜欢到不可言说。父亲说恐怕我已有了，我原有一部古今词选，放在闭壁楼的书架上了。可恨我一写信要中国书，她们便有百般的阻拦推托。好像凡是中国书都是充满着艰深的哲理，一看就费人无限的脑力似的。

不忍十分的违反她们的好意，我终于反复的只看些从病院中带来的短诗了。我昨夜收到词选，珍重的一页一页的看着，一面想，难得我有个知心的小弟弟。

这部词，选得似乎稍偏于纤巧方面，错字也时时发现。但大体说起来，总算很好。

你问我去国前后，环境中诗意哪处更足？我无疑地要说，“自然是去国后！”在北京城里，不能晨夕与湖山相对，这是第一条件。再一事，就是客中的心情，似乎更容易融会诗句。

离开黄浦江岸，在太平洋舟中，青天碧海，独往独来之间，我常常忆起“海水直下万里深，谁人不言此离苦”两句。因为我无意中看到同舟众人，当倚阑俯视着船头飞溅的浪花的时候，眉宇间似乎都含着轻微的凄恻的意绪。

到了威尔斯利，慰冰湖更是我的唯一的良友。或是水边，或是水上，没有一天不到的。母亲寿辰的前一日，又到湖上去了，临水起了乡思，忽然忆起左辅的“浪淘沙”词：

> “水软橹声柔，草绿芳洲，碧桃几树隐红楼；者是春山魂一片，招入孤舟。乡梦不曾休，惹甚闲愁？忠州过了又涪州；掷与巴江流到海，切莫回头！”

觉得情景悉合，随手拾起一片湖石，用小刀刻上：“乡梦不

曾休,惹甚闲愁?”两句,远远地抛入湖心里,自己便头也不回的走转来。这片小石,自那日起,我信它永在湖心,直到天地的尽头。只要湖水不枯,湖石不烂,我的一片寄托此中的乡心,也永古不能磨灭的!

美国人家,除城市外,往往依山傍水,小巧精致,窗外篱旁,杂种着花草,真合“是处人家,绿深门户”词意。只是没有围墙,空阔有余,深邃不足。路上行人,隔窗可望见翠袖红妆,可听见琴声笑语。词中之“斜阳却照深深院”,“庭院深深深几许”,“不卷珠帘,人在深深处”,“墙内秋千墙外道”,“银汉是红墙,一带遥相隔”等句,在此都用不着了!

田野间林深树密,道路也依着山地的高下,曲折蜿蜒的修来,天趣盎然。想春来野花遍地之时,必是更幽美的。只是逾山越岭的游行,再也看不见一带城墙僧寺。“曲径通幽处,禅房草木深”,“花宫仙梵远微微,月隐高城钟漏稀”,“一片孤城万仞山”,“饮将闷酒城头睡”,“长烟落日孤城闭”,“帘卷疏星庭户悄,隐隐严城钟鼓”等句,在此又都用不着了!

总之,在此处处是“新大陆”的意味,遍地看出鸿濛初辟的痕迹。国内一片苍古庄严,虽然有的只是颓废剥落的城垣宫殿,却都令人起一种“仰首欲攀低首拜”之思,可爱可敬的五千年的故国呵!

回忆去夏南下,晨过苏州,火车与城墙并行数里。城里湿烟濛濛,护城河里系着小舟,层塔露出城头,竟是一幅图画。那时我已想到出了国门,此景便不能再见了!

说到山中的生活,除了看书游山,与女伴谈笑之外,竟没有别的日课。我家灵运公的诗,如“寝瘵谢人徒,绝迹入云峰,岩壑寓耳目,欢爱隔音容”,以及“昔余游京华,未尝废丘壑,矧乃归山川，心迹双寂寞……卧疾丰暇豫，翰墨时间作，怀抱观古今，寝食展戏谑……万事难并欢，达生幸可托”等句，竟将我的生活描写尽了，我自己更不须多说！

又猛忆起杜甫的“思家步月清宵立，忆弟看云白日眠”和苏东坡的“因病得闲殊不恶，安心是药更无方”，对我此时生活而言，直是一字不可移易！青山满山是松，满地是雪，月下景物清幽到不可描画，晚餐后往往至楼前小立，寒光中自不免小起乡愁。又每日午后三时至五时是休息时间，白天里如何睡得着？自然只卧看天上云起，尤往往在此时复看家书，联带的忆到诸弟。——冰仲怕我病中不能多写通讯，岂知我病中较闲，心境亦较清，写的倒比平时多。又我自病后，未曾用一点药饵，真是“安心是药更无方”了。

多看古人句子，令自己少写好些。一面欣与古人契合，一面又有“恨不踊身千载上，趁古人未说吾先说”之叹。——说的已多了，都是你一部词选，引我掉了半天书袋，是谁之过呢？一笑！

青山真有美极的时候。二月七日，正是五天风雪之后，万株树上，都结上一层冰壳。早起极光明的朝阳从东方捧出，照得这些冰树玉枝，寒光激射。下楼微步雪林中曲折行来，偶然回顾，一身自冰玉丛中穿过。小楼一角，隐隐看见我的帘幕。虽然一般的高处不胜寒，而此琼楼玉宇，竟在人间，而非天上。

九日晨同女伴乘雪橇出游。双马飞驰，绕遍青山上下。一路林深处，冰枝拂衣，脆折有声。白雪压地，不见寸土，竟是洁无纤尘的世界。最美的是冰珠串结在野樱桃枝上，红白相间，晶莹向日，觉得人间珍宝，无此璀璨！

途中女伴遥指一发青山，在天末起伏。我忽然想真个离家

远了，连青山一发，也不是中原了。此时忽觉悠然意远。——弟弟！我平日总想以“真”为写作的唯一条件，然而算起来，不但是去国以前的文字不“真”，就是去国以后的文字，也没有尽“真”的能事。

我深确的信不论是人情，是物景，到了“尽头”处，是万万说不出来，写不出来的。纵然几番提笔，几番欲说，而语言文字之间，只是搜寻不出配得上形容这些情绪景物的字眼，结果只是搁笔，只是无言。十分不甘泯没了这些情景时，只能随意描摹几个字，稍留些印象。甚至于不妨如古人之结绳记事一般，胡乱画几条墨线在纸上。只要他日再看到这些墨迹时，能在模糊缥缈的意境之中，重现了一番往事，已经是满足有余的了。

去国以前，文字多于情绪。去国以后，情绪多于文字。环境虽常是清丽可写，而我往往写不出。辛幼安的一支“罗敷媚”说：

> 少年不识愁滋味，爱上层楼；爱上层楼，为赋新词强说愁。　而今识尽愁滋味，欲说还休；欲说还休，却道“天凉好个秋”。

真看得我寂然心死。他虽只说“愁”字，然已盖尽了其他种种一切！——真不知文字情绪不能互相表现的苦处，受者只有我一个人，或是人人都如此？

北京谚语说：“八月十五云遮月，正月十五雪打灯。”去年中秋，此地不曾有月。阴历十四夜，月光灿然。我正想东方谚语，不能适用于西方天象，谁知元宵夜果然雨雪霏霏。十八夜以后，夜夜梦醒见月。只觉空明的枕上，梦与月相续。最好是近两夜，醒时将近黎明，天色碧蓝，一弦金色的月，不远对着弦月凹处悬着一颗大星。万里无云的天上，只有一星一月，光景真是奇丽。

元夜如何？——听说醉司命夜，家宴席上，母亲想我难过，你们几个兄弟倒会一人一句的笑话慰藉，真是灯草也成了拄杖了！喜笑之余，并此感谢。

纸已尽，不多谈。——此信我以为不妨转小朋友一阅。

冰　心

三，一，一九二四，青山沙穰。

通 讯 十 七

小朋友：

健康来复的路上，不幸多歧，这几十天来懒得很；雨后偶然看见几朵浓黄的蒲公英，在匀整的草坡上闪烁，不禁又忆起一件事。

一月十九晨，是雪后浓阴的天。我早起游山，忽然在积雪中，看见了七八朵大开的蒲公英。我俯身摘下握在手里，——真不知这平凡的草卉，竟与梅菊一样的耐寒。我回到楼上，用条黄丝带将这几朵缀将起来，编成王冠的形式。人家问我做什么，我说："我要为我的女王加冕。"说着就随便的给一个女孩子戴上了。

大家欢笑声中，我只无言的卧在床上——我不是为女王加冕，竟是为蒲公英加冕了。蒲公英虽是我最熟识的一种草花，但从来是被人轻忽，从来是不上美人头的。今日因着情不可却，我竟让她在美人头上，照耀了几点钟。

蒲公英是黄色，叠瓣的花，很带着菊花的神意，但我也不曾偏爱她。我对于花卉是普遍的爱怜。虽有时不免喜欢玫瑰的浓郁，和桂花的清远，而在我忧来无方的时候，玫瑰和桂花也一样的成粪土。在我心情怡悦的一刹那顷，高贵清华的菊花，也不能和我手中的蒲公英来占夺位置。

世上的一切事物，只是百千万面大大小小的镜子，重叠对照，反射又反射；于是世上有了这许多璀璨辉煌，虹影般的光彩。没有蒲公英，显不出雏菊，没有平凡，显不出超绝。而且不能因为大家都爱雏菊，世上便消灭了蒲公英；不能因为大家都敬礼超人，世上便消灭了庸碌。即使这一切都能因着世人的爱憎而生灭，只恐到了满山谷都是菊花和超人的时候，菊花的价值，反不如蒲公英，超人的价值，反不及庸碌了。

所以世上一物有一物的长处，一人有一人的价值。我不能偏爱，也不肯偏憎。悟到万物相衬托的理，我只愿我心如水，处处相平。我愿菊花在我眼中，消失了她的富丽堂皇，蒲公英也解除了她的局促羞涩，博爱的极端，翻成淡漠。但这种普遍淡漠的心，除了博爱的小朋友，有谁知道？

书到此，高天萧然，楼上风紧得很，再谈了，我的小朋友！

冰　心

五，九，一九二四，沙穰疗养院。

通 讯 十 八

小朋友：

久违了，我亲爱的小朋友！记得许多日子不曾和你们通讯，这并不是我的本心。只因寄回的邮件，偶有迟滞遗失的时候。我觉得病中的我，虽能必写，而万里外的你们，不能必看。医生又劝我尽量休息，我索性就歇了下去。

自和你们通信，我的生涯中非病即忙。如今不得不趁病已去，忙未来之先，写一封长信给你们，补说从前许多的事。

愿意我从去年说起么？我知道小朋友是不厌听旧事的。但我也不能说得十分详细，只能就模糊记忆所及，说个大概，无非要接上这条断链。否则我忽然从神户飞到威尔斯利来，小朋友一定觉得太突兀了！

一九二三年八月二十日　神户

二十早晨就同许多人上岸去。远远地看见锚山上那个青草栽成的大锚，压在半山，青得非常的好看。

神户街市和中国的差的不多。两旁的店铺，却比较的矮小。窗户间陈列的玩具和儿童的书，五光十色，极其夺目。许多小朋友围着看。日本小孩子的衣服，比我们的华灿，比较的引人注意。他们的圆白的小脸，乌黑的眼珠，浓厚的黑发，衬映着十分可爱。

几个山下的人家，十分幽雅，木墙竹窗，繁花露出墙头，墙

外有小桥流水。——我们本想上山去看雌雄两谷——是两处瀑布。往上走的时候,遇见奔走下山的船上的同伴,说时候已近了。我们恐怕船开,只得回到船上来。

上岸时大家纷纷到邮局买邮票寄信。神户邮局被中国学生塞满了。牵不断的离情！去国刚三日,便有这许多话要同家人朋友说么?

回来有人戏笑着说:“白话有什么好处！我们同日本人言语不通,说英文有的人又不懂。写字罢,问他们‘哪里最热闹?’他们瞠目莫知所答。问他们‘何处最繁华?’却都恍然大悟,便指点我们以热闹的去处,你看!”我不觉笑了。

二十一日　横滨

黄昏时已近横滨。落日被白云上下遮住,竟是朱红的颜色,如同一盏日本的红纸灯笼——这原是联想的关系。

不断的山,倚阑看着也很美。此时我曾用几个盛快镜胶片的锡筒,装了几张小纸条,封了口,投下海去,任它飘浮。纸上我写着:

> 不论是哪个渔人捡着,都祝你幸运。我以东方人的至诚,祈神祝福你东方水上的渔人!

以及“我欲乘风归去,又恐琼楼玉宇,高处不胜寒!”等等的话。

到了横滨,只算是一个过站,因为我们一直便坐电车到东京去。我们先到中国青年会,以后到一个日本饭店吃日本饭。那店名仿佛是“天香馆”,也记不清了。脱鞋进门,我最不惯,大家都笑个不住。侍女们都赤足,和她们说话又不懂,只能相视一笑。席地而坐，仰视墙壁窗户，都是木板的，光滑如拭。窗外荫沉，洁净幽雅得很。我们只吃白米饭，牛肉，干粉，小菜，很简单的。饭菜都很硬，我只吃一点就放下了。

饭后就下了很大的雨，但我们的游览，并不因此中止，却也不能从容，只汽车从雨中飞驰。如日比谷公园，靖国神社，博物馆等处，匆匆一过。只觉得游了六七个地方，都是上楼下楼，入门出门，一点印象也留不下。走马看花，雾里看花，都是看不清的，何况是雨中驰车，更不必说了。我又有点发热，冒雨更不可支，没有心力去浏览，只有两处，我记得很真切。

一是二重桥皇宫，隆然的小桥，白石的阑干，一带河流之后，立着宫墙。忙中的脑筋，忽觉清醒，我走出车来拍照，远远看见警察走来，知要干涉，便连忙按一按机，又走上车去。——可惜是雨中照的，洗不出风景来，但我还将这胶片留下。听说地震后皇宫也颓坏了，我竟得于灾前一瞥眼，可怜焦土！

还有是游就馆中的中日战胜纪念品和壁上的战争的图画，周视之下，我心中军人之血，如泉怒沸。小朋友，我是个弱者，从不会抑制我自已感情之波动。我是没有主义的人，更显然的不是国家主义者，我虽那时竟血沸头昏，不由自主的坐了下去。但在同伴纷纷叹恨之中，我仍没有说一句话。

我十分歉仄，因为我对你们述说这一件事。我心中虽丰富的带着军人之血，而我常是喜爱日本人，我从来不存着什么屈辱与仇视。只是为着"正义"，我对于以人类欺压人类的事，我似乎不能忍受！

我自然爱我的弟弟，我们原是同气连枝的。假如我有吃不了的一块糖饼，他和我索要时，我一定含笑的递给他。但他若逞强，不由分说的和我争夺，为着"正义"，为着要引导他走"公

理”的道路,我就要奋然的,怀着满腔的热爱来抵御,并碎此饼而不惜!

请你们饶恕我,对你们说这些神经兴奋的话!让这话在你们心中旋转一周罢。说与别人我担着惊怕,说与你们,我却千放心万放心,因为你们自有最天真最圣洁的断定。

五点钟的电车,我们又回到横滨舟上。

二十三日　舟中

发烧中又冒雨,今天觉得不舒服。同船的人大半都上岸去,我自己坐着守船。甲板上独坐,无头绪的想起昨天车站上的繁杂的木屐声,和前天船上礼拜,他们唱的“上帝保佑我母亲”之曲,心绪很杂乱不宁。日光又热,下看码头上各种小小的贸易,人声嘈杂,觉得头晕。

同伴们都回来了,下午船又启行。从此渐渐的不见东方的陆地了,再到海的尽头,再见陆地时,人情风土都不同了,为之怅然。

曾在此时,匆匆的写了一封信,要寄与你们,写完匆匆的拿着走出舱来,船已徐徐离岸。“此误又是十余日了!”我黯然的将此信投在海里。

那夜梦见母亲来,摸我的前额,说:“热得很,——吃几口药罢。”她手里端着药杯叫我喝,我看那药是黄色的水,一口气的喝完了,梦中觉得是橘汁的味儿。醒来只听得圆窗外海风如吼,翻身又睡着了。第二天热便退尽。

二十四日以后　舟中

四围是海的舟岛生活,很迷糊恍惚的,不能按日记事了,只略略说些罢。

同行二等三等舱中，有许多自俄赴美的难民，男女老幼约有一百多人。俄国人是天然的音乐家，每天夜里，在最高层上，静听着他们在底下弹着琴儿。在海波声中，那琴调更是凄清错杂，如泣如诉。同是离家去国的人呵，纵使我们不同文字，不同言语，不同思想，在这凄美的快感里，恋别的情绪，已深深的交流了！

那夜月明，又听着这琴声，我迟迟不忍下舱去。披着毡子在肩上，聊御那泱泱的海风。船儿只管乘风破浪的一直的走，走向那素不相识的他乡。琴声中的哀怨，已问着我们这般辛苦的载着万斛离愁同去同逝，为名？为利？为着何来？"问君何事轻离别，一年能几团圞月？"我自问已无话可答了！若不是人声笑语从最高层上下来，搅碎了我的情绪，恐怕那夜我要独立到天明！

同伴中有人发起聚敛食物果品，赠给那些难民的孩子。我们从中国学生及别的乘客之中，收聚了好些，送下二等舱去。他们中间小孩子很多，女伴们有时抱几个小的上来玩，极其可爱。但有一次，因此我又感到哀戚与不平。

有一个孩子，还不到两岁光景，最为娇小乖觉。他原不肯叫我抱，好容易用糖和饼，和发响的玩具，慢慢的哄了过来。他和我熟识了，放下来在地下走，他从软椅中间，慢慢走去，又回来扑到我的膝上。我们正在嬉笑，一抬头他父亲站在广厅的门边。想他不能过五十岁，而他的白发和脸上的皱纹，历历的写出了他生命的颠顿与不幸，看去似乎不止六十岁了。他注视着他的儿子，那双慈怜的眼光中，竟若含着眼泪。小朋友，从至情中流出的眼泪，是世界上最神圣的东西。晶莹的含泪的眼，是

最庄严尊贵的画图！每次看见处女或儿童，悲哀或义愤的泪眼，妇人或老人，慈祥和怜悯的泪眼，两颗莹莹欲坠的泪珠之后，竟要射出凛然的神圣的光！小朋友，我最敬畏这个，见此时往往使我不敢抬头！

这一次也不是例外，我只低头扶着这小孩子走。头等舱中的女看护——是看护晕船的人们的——忽然也在门边发见了。她冷酷的目光，看着那俄国人，说："是谁让你到头等舱里来的，走，走，快下去！"

这可怜的老人踧踖了。无主仓皇的脸，勉强含笑，从我手中接过小孩子来，以屈辱抱歉的目光，看一看那看护，便抱着孩子疲缓的从扶梯下去。

是谁让他来的？任一个慈爱的父亲，都不肯将爱子交付一个陌生人，他是上来照看他的儿子的。我抱上这孩子来，却不能护庇他的父亲！我心中忽然非常的抑塞不平。只注视着那个胖大的看护，我脸上定不是一种怡悦的表情，而她却服罪的看我一笑。我四顾这厅中还有许多人，都像不在意似的。我下舱去，晚餐桌上，我终席未曾说一句话！

中国学生开了两次的游艺会，都曾向船主商量要请这些俄国人上来和我们同乐，都被船主拒绝了。可敬的中国青年，不愿以金钱为享受快乐的界限，动机是神圣的。结果虽毫不似预想，而大同的世界，原是从无数的尝试和奋斗中来的！

约克逊船中的侍者，完全是中国广东人。这次船中头等乘客十分之九是中国青年，足予他们以很大的喜悦。最可敬的是他们很关心于船上美国人对于中国学生的舆论。船抵西雅图之前一两天，他们曾用全体名义，写一篇勉励中国学生为国家争气的话，揭帖在甲板上。文字不十分通顺，而词意真挚异常，我只记得一句,是什么:“飘洋过海广东佬”,是诉说他们自己的飘流,和西人的轻视。中国青年自然也很恳挚的回了他们一封信。

海上看不见什么,看落日其实也够有趣的了,不过这很难描写。我看见飞鱼,背上两只蝗虫似的翅膀。我看见两只大鲸鱼,看不见鱼身,只远远看见它们喷水。

此外还有什么可说的呢,船上生活,只像聚什么冬令会,夏令会一般,许多同伴在一起,走来走去,总走不出船的范围。除了几个游艺会演说会之外,谈谈话,看看海,写写信,一天一天的渐渐过尽了。

横渡太平洋之间,半空多出一日,就是有两个八月二十八日。自此以后,我们所度的白日,和故国的不同了!乡梦中的乡魂,飞回故国的时候,我们的家人骨肉,正在光天化日之下,忙忙碌碌。别离的人!连魂来魂往,都不能相遇么?

九月一日之后

早晨抵维多利亚(Victoria),又看见陆地了。感想纷起!那日早晨的海上日出,美到极处。沙鸥群飞,自小岛边,绿波之上,轻轻的荡出小舟来。一夜不曾睡好,海风一吹,觉得微微怅惘。船上已来了摄影的人,逼我们在烈日下坐了许久,又是国旗,又是国歌的闹了半日。到了大陆上,就又有这许多世事!

船徐徐泛入西雅图(Seattle)。码头上许多金发的人,来回奔走,和登舟之日,真是不同了!大家匆匆的下得船来,到扶桥边,回头一望,约克逊号邮船凝默的泊在岸旁。我无端黯然!从此一百六十几个青年男女,都成了飘泊的风萍。也是一番小小的酒阑人散!

西雅图是三山两湖围绕点缀的城市。连街衢的首尾,都起

伏不平，而景物极清幽。这城五十年前还是荒野，如今竟修整得美好异常，可觇国民元气之充足。

匆匆的游览了湖山，赴了几个欢迎会，三号的夜车，便向芝加哥进发。

这串车是专为中国学生预备的，车上没有一个外人，只听得处处乡音。

九月三日以后

最有意思的是火车经过落基山，走了一日。四面高耸的乱山，火车如同一条长蛇，在山半徐徐蜿蜒。这时车后挂着一辆敞车，供我们坐眺。看着巍然的四围青郁的崖石，使人感到自己的渺小。我总觉得看山比看水滞涩些，情绪很抑郁的。

途中无可记，一站一站风驰电掣的过去，更留不下印象。只是过米西西比(Mississippi)河桥时，微月下觉得很玲珑伟大。

七日早到芝加哥(Chicago)，从车站上就乘车出游。那天阴雨，只觉得满街汽油的气味。街市繁盛处多见黑人。经过几个公园和花屋，是较清雅之处，绿意迎人。我终觉得芝加哥不如西雅图。而芝加哥的空旷处，比北京还多些青草！

夜住女青年会干事舍。夜中微雨，落叶打窗，令我抚然，寄家一片，我说：

“几片落叶，报告我以芝加哥城里的秋风！今夜曾到电影场去，灯光骤明时，大家纷纷立起。我也想回家去，猛觉一身万里，家还在东流的太平洋之外呢！”

八日晨又匆匆登车，往波士顿进发。这时才感到离群。这辆车上除了我们三个中国女学生外，都是美国人了。

仍是一站一站匆匆的过去，不过此时窗外多平原，有时看见山畔的流泉,穿过山石野树之间,其声潺潺。

九日近午,到了春野(Spring field)时,连那两个女伴也握手下车去。小朋友,从太平洋西岸,绕到大西洋西岸的路程之末。女伴中只剩我一人了。

九月九日以后

九日午到了所谓美国文化中心的波士顿(Boston)。半个多月的旅行,才略告休息。

在威尔斯利大学(Wellesley College)开学以前,我还旅行了三天,到了绿野(Green field)春野等处,参观了几个男女大学,如侯立欧女子大学(Holyoke College),斯密司女子大学(Smith College),依默和司德大学(Amherst College)等,假期中看不见什么,只看了儿座伟大的学校建筑。

途中我赞美了美国繁密的树林,和平坦的道路。

麻撒出色省(Massachusetts)多湖,我尤喜在湖畔驰车。树影中湖光掩映,极其明媚。又有一天到了大西洋岸,看见了沙滩上游戏的孩子和海鸥,回来做了一夜的童年的梦。的确的,上海登舟,不见沙岸,神户横滨停泊,不见沙岸,西雅图终止,也不见沙岸。这次的海上,对我终是陌生的。反不如大西洋岸旁之一瞬,层层卷荡的海波,予我以最深的回忆与伤神!

九月十七日以后,威尔斯利

从此过起了异乡的学校生活。虽只过了两个多月,而慰冰湖有新的环境和我静中常起的乡愁,将我两个多月的生涯,装点得十分浪漫。

说也凑巧,我住在闭璧楼(Beebe Hall),闭璧楼和海竟有

因缘！这座楼是闭壁约翰船主(Captain John Beebe)捐款所筑。因此厅中，及招待室，甬道等处，都悬挂的是海的图画。初到时久不得家书，上下楼之顷，往往呆立平时堆积信件的桌旁，望了无风起浪的画中的海波，聊以慰安自己。

学校如同一座花园，一个个学生便是花朵。美国女生的打扮，确比中国的美丽。衣服颜色异常的鲜艳，在我这是很新颖的。她们的性情也活泼好交，不过交情更浮泛一些，这些天然是"西方的"！

功课的事，对你们说很无味。其余的以前都说过了。

小朋友，忽忽又已将周年，光阴过得何等的飞速？明知追写这些事时，要引起我的惆怅，但为着小朋友，我是十分情愿。而且不久要离此，在重受功课的束缚以前，我想到别处山陬海角，过一过漫游流转的生涯，以慰我半年闭居的闷损。趁此宁静的山中，只凭回忆，理清了欠你们的信债。叙事也许不真不详，望你们体谅我是初愈时的心思和精神，没有轻描淡写的力量。

此外曾寄《山中杂记》十则，与我的弟弟，想他们不久就转给你们。再见了，故国故乡的小朋友！再给你们写信的时候，我想已不在青山了。

愿你们平安！

冰　心

六，二十八，一九二四，沙穰。

通 讯 十 九

小朋友：

离青山已将十日了，过了这些天湖海的生涯，但与青山别离之情，不容不告诉你。

美国的佳节，被我在病院中过尽了！七月四号的国庆日，我还想在山中来过。山中自然没有什么，只儿童院中的小朋友，于黄昏时节，曾插着红蓝白三色的花，戴着彩色的纸帽子，举着国旗，整队出到山上游行，口里唱着国歌，从我们楼前走过的时候，我们曾鼓掌欢迎他们。

那夜大家都在我楼上话别，只是黯然中的欢笑。——睡下的时候，我忽然觉得上下的衾单上，满了石子似的多刺的东西，拿出一看，却是无数新生的松子，幸而针刺还软，未曾伤我，我不觉失笑。我们平时，戏弄惯了，在我行前之末一夜，她们自然要尽量的使一下促狭。

大家笑着都奔散了。我已觉倦，也不追逐她们！只笑着将松子纷纷的都掠在地下。衾枕上有了松枝的香气！怪不得她们促我早歇，原来还有这一出喜剧！我卧下，只不曾睡，看着沙穰村中喷起 从 从的烟火，红光烛天。今天可听见鞭炮了，我为之怡然。

第二天早起，天气微阴。我绝早起来，悄然的在山中周行。每一棵树，每一丛花，每一个地方，有我埋存手泽之处，都予以极诚恳爱怜之一瞥。山亭及小桥流水之侧，和万松参天的林中，我曾在此流过乡愁之泪，曾在此有清晨之默坐与诵读，有夫人履——(Lady Slipper)和露之采撷，曾在此写过文章与书函。沙穰在我，只觉得弥漫了闲散天真的空气。

黄昏时之一走，又赚得许多眼泪。我自己虽然未曾十分悲惨，也不免黯然。女伴们雁行站在门边，一一握手，纷纷飞扬的白巾之中，听得她们摇铃送我，我看得见她们依稀的泪眼，人生

奈何到处是离别?

车走到山顶,我攀窗回望,绿丛中白色的楼屋,我的雪宫,渐从斜阳中隐过。病因缘从今斩断,我倏忽的生了感谢与些些"来日大难"的悲哀!

我曾对朋友说,沙穰如有一片水,我对她的留恋,必不止此。而她是单纯真朴,她和我又结的是护持调理的因缘,仿佛说来,如同我的乳母。我对她之情,深不及母亲,柔不及朋友,但也有另一种自然的感念。

沙穰还彻底的予我以几种从前未有的经验如下:

第一是"弱"。绝对的静养之中,眠食稍一反常,心理上稍有刺激,就觉得精神全隳,温度和脉跃都起变化。我素来不十分信"健康之精神寓于健康之身体",尤往往从心所欲,过度劳乏了我的身躯。如今理会得身心相关的密切,和病弱扰乱了心灵的安全,我便心诚悦服的听从了医士的指挥。结果我觉得心力之来复,如水徐升。小朋友中有偏重心灵方面之发展与快意的么?望你听我,不蹈此覆辙!

第二是"冷"。冷得真有趣!更有趣的是我自己毫不觉得,只看来访的朋友们的瑟缩寒战,和他们对于我们风雪中户外生活之惊奇,才知道自己的"冷"。冷到时只觉得一阵麻木,眼珠也似乎在冻着,双手互握,也似乎没有感觉。然而我愿小朋友听得见我们在风雪中的欢笑!冻凝的眼珠,还是看书,没有感觉的手,还在写字。此外雪中的拖雪橇,逆风的游行,松树都弯曲着俯在地下,我们的脸上也戴上一层雪面具;自膝以下埋在雪里。四望白茫茫之中,我要骄傲的说,"好的呀!三个月绝冷的风雪中的驱驰,我比你们温炉暖屋,'雪深三尺不知寒'的人,多练出一些勇敢!"

夜中月明，寒光浸骨，双颊如抵冰块。月下的景物都如凝住，不能转移。天上的冷月冻云，真冷得璀璨！重衾如铁，除自己骨和肉有暖意外，天上人间四围一切都是冷的。我何等的愿在这种光景之中呵，我以为惟有鱼在水里可以比拟。睡到天明，衾单近呼吸呵气处都凝成薄冰。掀衾起坐，雪纷纷坠，薄冰也迸折有声。真有趣呵，我了解“红泪成冰”的词句了。

第三是“闲”。闲得却有时无趣，但最难得的是永远不预想明日如何。我们的生活如印板文字，全然相同的一日一日的悠然过去。病前的苦处，是“预定”，往往半个月后的日程，早已安排就。生命中，岂容有这许多预定，乱人心曲？西方人都永远在预定中过生活，终日匆匆忙忙的，从容宴笑之间，往往有“心焉不属”的光景。我不幸也曾陷入这种旋涡！沙穰的半年，把“预定”两字，轻轻的从我的字典中删去，觉得有说不出的愉快。

“闲”又予我以写作的自由，想提笔就提笔，想搁笔就搁笔。这种流水行云的写作态度，是我一生所未经，沙穰最可纪念处也在此！

第四是“爱”与“同情”。我要以最庄肃的态度来叙述此段。同情和爱，在疾病忧苦之中，原来是这般的重大而慰藉！我从来以为同情是应得的，爱是必得的，便有一种轻藐与忽视。然而此应得与必得，只限于家人骨肉之间。因为家人骨肉之爱，是无条件的，换一句话说，是以血统为条件的。至于朋友同学之间，同情是难得的，爱是不可必得的，幸而得到，那是施者自己人格之伟大！此次久病客居，我的友人的馈送慰问，风雪中殷勤的来访，显然的看出不是敷衍，不是勉强。至于泛泛一面的老夫人们，手抱着花束，和我谈到病情，谈到离家万里，我还

无言，她已坠泪。这是人类之所以为人类，世界之所以成世界呵！我一病何足惜？病中看到人所施于我，病后我知何以施于人。一病换得了“施于人”之道，我一病真何足惜！

“同病相怜”这一句话何等真切？院中女伴的互相怜惜，互相爱护的光景，都使人有无限之赞叹！一个女孩子体温之增高，或其他病情上之变化，都能使全院女伴起了吁嗟。病榻旁默默的握手，慰言已尽，而哀怜的眼里，盈盈的含着同情悲悯的泪光！来从四海，有何亲眷？只一缕病中爱人爱己，知人知己之哀情，将这些异国异族的女孩儿亲密的联在一起。谁道爱和同情，在生命中是可轻藐的呢？

爱在右，同情在左，走在生命路的两旁，随时撒种，随时开花，将这一径长途，点缀得香花弥漫，使穿枝拂叶的行人，踏着荆棘，不觉得痛苦，有泪可落，也不是悲凉。

初病时曾戏对友人说：“假如我的死能演出一出悲剧，那我的不死，我愿能演一出喜剧！”在众生的生命上，撒下爱和同情的种子，这是否演出喜剧呢，我将于此下深思了！

总之，生命路愈走愈远，所得的也愈多。我以为领略人生，要如滚针毡，用血肉之躯去遍挨遍尝，要它针针见血！离合悲欢，不尽其致时，觉不出生命的神秘和伟大。我所经历真不足道！且喜此关一过，来日方长，我所能告诉小朋友的，将来或不止此。

屋中有书三千卷，琴五六具，弹的拨的都有，但我至今未曾动它一动。与水久别，此十日中我自然尽量的过湖畔海边的生活。水上归来，只低头学绣，将在沙穰时淘气的精神，全部收起。我原说过，只有无人的山中，容得童心的再现呵！

大西洋之游，还有许多可纪。写的已多了，留着下次说罢。

祝你们安乐！

冰 心

七，十四，一九二四，默特佛。

通讯二十

小朋友：

水畔驰车，看斜阳在水上泼散出的闪烁的金光，晚风吹来，春衫嫌薄。这种生涯，是何等的宜于病后呵！

在这里，出游稍远便可看见水。曲折行来，道滑如拭。重重的树荫之外，不时倏忽的掩映着水光。我最爱的是玷池(Spot pond)，称她为池真委屈了，她比小的湖还大呢！——有二四个小岛在水中央，上面随意地长着小树。池四围是丛林，绿意浓极。每日晚餐后我便出来游散，缓驰的车上，湖光中看遍了美人芳草！——真是"水边多丽人"。看三三两两成群携手的人儿，男孩子都去领卷袖，女孩子穿着颜色极明艳的夏衣，短发飘拂，轻柔的笑声，从水面，从晚风中传来，非常的浪漫而潇洒。到此猛忆及曾皙对孔子言志，在"暮春者"之后，"浴乎沂风乎舞雩"之前，加上一句"春服既成"，遂有无限的飘扬态度，真是千古隽语！

此外的如玄妙湖(Mystic Lake)，侦池(Spy pond)，角池(Horn pond)等处，都是很秀丽的地方。大概湖的美处在"明媚"。水上的轻风，皱起万叠微波，湖畔再有芊芊的芳草，再有

青青的树林,有平坦的道路,有曲折的白色阑干,黄昏时便是天然的临眺乘凉的所在。湖上落日,更是绝妙的画图。夜中归去,长桥上两串徐徐互相往来移动的灯星,颗颗含着凉意。若是明月中天,不必说,光景尤其宜人了!

前几天游大西洋滨岸(Revere Beach),沙滩上游人如蚁。或坐或立,或弄潮为戏,大家都是穿着泅水衣服。沿岸两三里的游艺场,乐声沨沨,人声嘈杂。小孩子们都在铁马铁车上,也有空中旋转车,也有小飞艇,五光十色的。机关一动,都纷纷奔驰,高举凌空。我看那些小朋友们都很欢喜得意的!

这里成了"人海",如蚁的游人,盖没了浪花。我觉得无味。我们掠转车来,直到娜罕(Nahant)去。

渐渐的静了下来。还在树林子里,我已迎到了冷意侵人的海风。再三四转,大海和岩石都横到了眼前!这是海的真面目呵。浩浩万里的蔚蓝无底的洪涛,壮厉的海风,蓬蓬的吹来,带着腥咸的气味。在闻到腥咸的海味之时,我往往忆及童年拾卵石贝壳的光景,而惊叹海之伟大。在我抱肩迎着吹人欲折的海风之时,才了解海之所以为海,全在乎这不可御的凛然的冷意!

在嶙峋的大海石之间,岩隙的树荫之下,我望着卵岩(Egg Rock),也看见上面白色的灯塔。此时静极,只几处很精致的避暑别墅,悄然的立在断岩之上。悲壮的海风,穿过丛林,似乎在奏"天风海涛"之曲。支颐凝坐,想海波尽处,是群龙见首的欧洲,我和平的故乡,比这可望不可即的海天还遥远呢!

故乡没有这明媚的湖光,故乡没有汪洋的大海,故乡没有葱绿的树林,故乡没有连阡的芳草。北京只是尘土飞扬的街道,泥泞的小胡同,灰色的城墙,流汗的人力车夫的奔走,我的故乡,我的北京,是一无所有!

小朋友,我不是一个乐而忘返的人,此间纵是地上的乐园,我却仍是"在客"。我寄母亲信中曾说:

……北京似乎是一无所有!——北京纵是一无所有,然已有了我的爱。有了我的爱,便是有了一切!灰色的城围里,住着我最宝爱的一切的人。飞扬的尘土呵,何时容我再嗅着我故乡的香气……

易卜生曾说过:"海上的人,心潮往往和海波一般的起伏动荡。"而那一瞬间静坐在岩上的我的思想,比海波尤加一倍的起伏。海上的黄昏星已出,海风似在催我归去。归途中很怅惘。只是还买了一筐新从海里拾出的蛤蜊。当我和车边赤足捧筐的孩子问价时,他仰着通红的小脸笑向着我。他岂知我正默默的为他祝福,祝福他终身享乐此海上拾贝的生涯!

谈到水,又忆起慰冰来。那天送一位日本朋友回南那铁(South Natick)去,道经威尔斯利。车驰穿校址,我先看见圣卜生疗养院,门窗掩闭的凝立在山上。想起此中三星期的小住,虽仍能微笑,我心实凄然不乐。再走已见了慰冰湖上闪烁的银光,我只向她一瞥眼。闭壁楼塔院等等也都从眼前飞过。年前的旧梦重寻,中间隔以一段病缘,小朋友当可推知我黯然的心理!

又是在行色匆匆里,一两天要到新汉寿(New Hampshire)去。似乎又是在山风松涛之中,到时方可知梗概。晚风中先草此,暑天宜习静,愿你们多写作!

冰　心

七,二十二,一九二四,默特佛。

通讯二十一

冰仲弟：

到自由(Freedom)又五六日了，高处于白岭(The White Mountains)之上，华盛顿(Mount Washington)，戚叩落亚(Chocorua)诸岭都在几席之间。这回真是入山深了！此地高出海面一千尺，在北纬四十四度，与吉林同其方位。早晚都是凉飙袭人，只是树枝摇动，不见人影。

K教授邀我来此之时，她信上说："我愿你知道真正新英格兰的农家生活。"果然的，此老屋中处处看出十八世纪的田家风味。古朴砌砖的壁炉，立在地上的油灯，粗糙的陶器，桌上供养着野花，黄昏时自提着罐儿去取牛乳，采葚果佐餐。这些情景与我们童年在芝罘所见无异。所不同的就是夜间灯下，大家拿着报纸，纵谈共和党和民主党的总统选举竞争。我觉得中国国民最大的幸福，就是能居然脱离政府而独立。不但农村，便是去年的北京，四十日没有总统，而万民乐业。言之欲笑，思之欲哭！

屋主人是两个姊妹，是K教授的好友，只夏日来居在山上。听说山后只有一处酿私酒的相与为邻，足见此地之深僻了。屋前后怪石嶙峋。黑压压的长着丛树的层岭，一望无际。林影中隐着深谷。我总不敢太远走开去，似乎此山有藏匿虎豹的可能。千山草动，猎猎风生的时候，真恐自暗黑的林中，跳出些猛兽。虽然屋主人告诉我说，山中只有一只箭猪，和一只小鹿，而我终是心怯。

于此可见白岭与青山之别了。白岭妩媚处雄伟处都较胜青山，而山中还处处有湖，如银湖(Silver Lake)，戚叩落亚湖(Lake Chocorua)，洁湖(Purity Lake)等，湖山相衬，十分幽丽。那天到戚叩落亚湖畔野餐，小桥之外，是十里如镜的湖波，波外是突起矗立的戚叩落亚山。湖畔徘徊，山风吹面，情景竟是皈依而不是赏玩！

除了屋主人和K教授外，轻易看不见别一个人，我真是寂寞。只有阿历(Alex)是我唯一的游伴了！他才五岁，是纽芬兰的孩子。他母亲在这里佣工。当我初到之夜，他睡时忽然对他母亲说："看那个姑娘多可怜呵，没有她母亲相伴，自己睡在大树下的小屋里！"第二天早起，屋主人笑着对我述说的时候，我默默相感，微笑中几乎落下泪来。我离开母亲将一年了，这般彻底的怜悯体恤的言词，是第一次从人家口里说出来的呵！

我常常笑对他说："阿历，我要我的母亲。"他凝然的听着，想着，过了一会说："我没有看见过你的母亲，也不知道她在哪里——也许她迷了路走在树林中。"我便说："如此我找她去。"自此后每每逢我出到林中散步，他便遥遥的唤着问："你找你的母亲去么？"

这老屋中仍是有琴有书，原不至太闷，而我终感着寂寞，感着缺少一种生活，这生活是去国以后就丢失了的。你要知道么？就是我们每日一两小时傻顽痴笑的生活！

飘浮着铁片做的战舰在水缸里，和小狗捉迷藏，听小弟弟说着从学校听来的童稚的笑话，围炉说些"乱谈"，敲着竹片和铜茶盘，唱"数了一个一，道了一个一"的山歌，居然大家沉酣的过一两点钟。这种生活，似乎是痴顽，其实是绝对的需要。这

种完全释放身心自由的一两小时，我信对于正经的工作有极大的辅益，使我解愠忘忧，使我活泼，使我快乐。去国后在学校中，病院里，与同伴谈笑，也有极不拘之时，只是终不能痴傻到绝不用点思想的地步。——何况我如今多居于教授，长者之间，往往是终日矜持呢！

真是说不尽怎样的想念你们！幻想山野是你们奔走的好所在，有了伴侣，我也便不怯野游。我何等的追羡往事！“当时语笑浑闲事，过后思量尽可怜。”这两语真说到入骨。但愿经过两三载的别离之后，大家重见，都不失了童心，傻顽痴笑，还有再现之时，我便万分满足了。

山中空气极好，朝阳晚霞都美到极处。身心均舒适，只昨夜有人问我：“听说泰戈尔到中国北京，学生们对他很无礼，他躲到西山去了。”她说着一笑。我淡淡的说，“不见得罢。”往下我不再说什么——泰戈尔只是一个诗人，迎送两方，都太把他看重了。……

于此收住了。此信转小朋友一阅。

冰心

七，二十，一九二四，自由，新汉寿。

通讯二十二

亲爱的小读者：

每天黄昏独自走到山顶看日落，便看见威叩落亚的最高峰。全山葱绿,而峰上却稍赤裸,露出山骨。似乎太高了,天风劲厉,不容易生长树木。天边总统山脉(Presidential Range)中诸岭蜿蜒,华盛顿、麦迭生(Madison)众山重叠相映。不知为何,我只爱看戚叩落亚。

餐桌上谈起来了,C夫人告诉我戚叩落亚是个美洲红人酋长,因情不遂,登最高峰上坠崖自杀。戚叩落亚山便因他命名。她说着又说她记忆不真,最好找一找书看看。我也以山势"英雄"而戚叩落亚死的太"儿女"为恨。今天从书架上取下一本书叫《白岭》(The White Mountains)的,看了一遍。关于戚叩落亚的死因,与C夫人说的不同。我觉得这故事不妨说给小朋友听听!

书上说:"戚叩落亚可称为新英格兰一带最秀丽最堪入画之高山。"——新英格兰系包括美东 Maine, N. H, Mass, R. I., Vermont, Coun., 六省而言,是英国殖民初登岸处,故名。——"高三千五百四十尺,山上有泉,山间有河,山下有湖。新汉寿诸山之中,没有比它再含有美术的和诗的意味的了。

"戚叩落亚山是从一个红人酋长得名。这个酋长被白人杀死于是山的最高峰下。传说不一,一说在罗敷窝(Lovewell)一战之后,红人都向坎拿大退走,只有戚叩落亚留恋故乡和他祖宗的坟墓,不肯与族人同去。他和白人友善,特别的与一个名叫康璧(Campbell)的交好。戚叩落亚只有一个儿子,他一生的爱恋和希望,都倾注在这儿子身上。偶然有一次因着族人会议的事,他须到坎拿大去。他不忍使这儿子受长途风霜之苦,便将他交托给康璧,自己走了。他的儿子在康璧家中,备受款待。只一天,这孩子无意中寻到一瓶毒狐的药,他好奇心盛,一口气喝了下去。等到戚叩落亚回来,只得到他儿子死了葬了的消

息！这误会的心碎的酋长，在他负伤的灵魂上，深深刻下了复仇的誓愿。这一天康璧从田间归来，看见他妻和子的尸身，纵横的倒在帐篷的内外。康璧狂奔出去寻觅戚叩落亚，在山巅将他寻见了。正在他发狂似的向白人诅咒的时候，康璧将他射死于最高峰下。

"又一说，戚叩落亚是红人族中的神觋。他的儿子与康璧相好，不幸以意外之灾死在康璧家里。以下的便与上文相同。

"又一说，戚叩落亚是个无罪无猜的红酋，对白人尤其和蔼。只因那时麻撒出色(Massachusetts)百姓，憎恶红人，在波士顿征求红人之首，每头颅报以百金。于是有一群猎者，贪图巨利，追逐这无辜的红酋，将他乱枪射死于最高峰下！

"英雄的戚叩落亚，在他将死未绝之时，张目扬齿，狂呼的诅咒说：'灾祸临到你们了，白人呵！我愿巨灵在云间发声，其言如火，重重的降罚给你们。我戚叩落亚有一个儿子，而你们在光天化日之下，将他杀死！我愿闪电焚灼你们的肉体，愿暴风与烈火扫荡你们的居民！愿恶魔吹死气在你们的牛羊身上！愿你们的坟墓沦为红人的战场！愿虎豹狼虫吞噬你们的骨殖！我戚叩落亚如今到巨灵那里去，而我的诅咒却永远的追随着你们！'"

这故事于此终止了。书上说："此后续来的移民，都不能安生居住，天灾人祸，相继而来；暴风雨，瘟疫，牛羊的死亡，红人的侵袭，岁岁不绝。然而在事实上，近山一带的居民，并未曾受红人之侵迫，只在此数十年中不能牧养牲畜，牛羊死亡相继。大家都归咎于戚叩落亚的诅词。后经科学者的试验，乃是他们饮用的水中，含有石灰质的缘故。

"戚叩落亚的坟墓，传说是在东南山脚下，但还没有确实寻到。”

每天黄昏独自走到山顶看日落,看夕阳自戚叩落亚的最高峰尖下坠,其红如火!连那十八世纪的老屋都隐在丛林之中时,大地上只山岭纵横,看不出一点文化文明之踪迹!这时我往往神游于数百年前,想此山正是束额插羽,奔走如飞的红人的世界。我微微的起了悲哀。红人身躯壮硕,容貌黝红而伟丽,与中国人种相似,只是不讲智力,受制被驱于白人,便沦于万劫不复之地!……

那天到康卫(Conway)去,在村店中买了一个小红泥人,金冠散发,首插绿羽,头上围着五色丝绦,腰间束带。我放他在桌上,给他起名叫戚叩落亚,纪念我对于戚叩落亚之追慕,及此次白岭之游。等到年终时节,我拟请他到中国一行,代我贺我母亲新春之喜。——匆此。

冰　心

八,六,一九二四,白岭。

通讯二十三

冰季小弟:

这是清晨绝早的时候,朝日未出,朝露犹零,早餐后便又须离此而去。我以黯然的眼光望着白岭,却又不能不偷这匆匆言别的一早晨,写几个字给你。

只因昨夜在迢迢银河之侧,看见了织女星,猛忆起今天是

故国的七月七夕,无数最甜柔的故事,最凄然轻婉的诗歌,以及应景的赏心乐事,都随此佳节而生。我远客他乡,把这些都暌违了,……这且不必管他。

我所要写的,是我们大家太缺少娱乐了。无精打采的娱乐,绝不能使人生润泽,事业进步。娱乐至少与工作有同等的价值,或者说娱乐是工作之一部分!

娱乐不是"消遣"。"消遣"两字的背后,隐隐的站着"无聊"。百无聊赖的时候,才有消遣;侘傺疾病的时候,才有消遣!对于国事,对于人生,灰心丧志的时候,才有消遣!试看如今一般人所谓的娱乐,是如何的昏乱,如何的无精打采?我决不以这等的娱乐为娱乐!真正的娱乐是应着真正的工作的要求而发生的,换言之,打起精神做真正的工作的人,才热烈的想望,或预备真正的娱乐!

当然的,中国人要有中国人的娱乐,我们有四千多年的故事,传说和历史。我们娱乐的时地和依据,至少比人家多出一倍。从新年说起罢,新年之后,有元宵。这千千万万的繁灯,作树下廊前的点缀,何等灿烂?舞龙灯更是小孩子最热狂最活泼的游戏。三月三日是古人修禊节,也便是我们绝好的野餐时期,流觞曲水,不但仿古人余韵,而且有趣。清明扫墓,虽不焚化纸钱,也可训练小孩子一种恭肃静默的对先人的敬礼;假如清明植树能名实相副,每人每年在祖墓旁边,种一棵小树,不到十年,我们中国也到处有了葱蔚的山林。五月五是特别为小孩子的节期,花花绿绿的香囊,五色丝,大家打扮小孩子。一年中只是这几天,觉得街头巷尾的小孩子,加倍喜欢!这天又是龙舟节,出去泛舟,或是两个学校间的竞渡,也是极好的日子。七月七,是女儿节,只这名字已有无限的温柔!凉夜风静,秋星灿然。庭中陈设着小几瓜果，遍延女伴，轻悄谈笑，仰看双星缓缓渡桥。小孩子满握着煮熟的蚕豆，大家互赠，小手相握，谓之“结缘”。这两字又何其美妙？我每以为“缘”之意想，十分精微，“缘”之一字，十分难译，有天意，有人情，有死生流转，有地久天长。苏子瞻赠他的弟弟子由诗，有“与君世世为兄弟，更结来生未了因。”小弟弟，我今天以这两语从万里外遥赠你了！

八月十五中秋节，满月的银光之下，说着蟾蜍玉兔的故事，何其清切？九月九重阳节，古人登高的日子，我们正好有远足旅行，游览名胜。国庆日不必说，尤须庆祝一下子，只因我觉得除却政治机关及商店悬旗外，家庭中纪念这节期的，似乎没有！

往下不再细说了。翻开古书看一看，如《帝京景物志》之类，还可找出许多有意思可纪念的娱乐的日子来。我觉得中国的节期，都以人家的清雅，每一节期都附以温柔，高洁的故事，惊才绝艳的诗歌，甚至于集会时的食品用器，如五月五的龙舟，粽子，七月七的蚕豆，八月十五的月饼，以及各节期的说不尽的等等一切……我们是一点不必创造。招集小孩子，故事现成，食品现成，玩具现成，要编制歌曲，供小孩的戏唱，也有数不尽的古诗，古文，古词为蓝本。古人供给我们这许多美好的材料，叫我们有最高尚的娱乐，如我们仍不知领略享受，真是太对不起了！

破除迷信，是件极好的事。最可惜的是迷信破除了以后，这些美好的节期，也随着被大家冷淡了下去。我当然不是提倡迷信，偶像崇拜和小孩子扮演神仙故事，截然的是两件事！

不能多写了。朝日已出，厨娘已忙着预备早餐。在今晚日落之前，我便可在一个小海岛之上，你可猜想我是如何的喜欢！我看《诗经》，最爱的是：“蒹葭苍苍，白露为霜，所谓伊人，在水

一方……溯回从之,宛在水中央。”我最喜在“水中央”三字,觉得有说不出的飘荡与萦回!——自我开始旅行,除了日记及纸笔之外,半本书也没有带,引用各诗,也许错误,请你找找看。

预算在海上住到月圆时节。“海上生明月”的光景,我已预备下全副心情,供它动荡,那时如写得出,再写些信寄你。

你的姊姊

八,七,一九二四,白岭。

通讯二十四

我的双亲:

窗外涛声微撼,是我到伍岛(Five Islands)之第一夜。我已睡下,B女士进坐在我的床前,说了许多别后的话。她又说:“可惜我不能将你母亲的微笑带来呵!”夜深她出去。我辗转不寐。一年中隔着海洋,我们两地的经过,在生命的波澜又归平靖之后,忽忽追思,竟有无限的感慨!

在新汉寿之末一夜,竟在白岭上过了瓜果节。说起也真有意思。那天白日偶然和众人谈起,黄昏时节,已自忘怀。午睡起后,C夫人忽请我换了新衣。K教授也穿上由中国绣衣改制的西服出来。其余众人,或挂中国的玉佩,或着中国的绸衣。在四山暮色之中,团团坐在屋前一棵大榆树下,端出茶果来,告诉我今夜要过中国的瓜果节。我不禁怡然一笑。我知道她们一来自己寻乐,二来与我送别。我是在家十年未过此节,却在离家数万里外,孤身作客,在绵亘雄伟的白岭之巅,与几位教授长者,过起软款温柔的女儿节来,真是突兀!

那夜是阴历初六,双星还未相迩,银汉间薄雾迷濛。我竟成了这小会的中心!大家替我斟上蒲公英酒,K 教授举杯起立,说:“我为全中国的女儿饮福!”我也起来笑答:“我代全中国的女儿致谢你们!”大家笑着起立饮尽。

第二巡递过茶果,C 夫人忽又起立举杯说:“我饮此酒,祝你健康!”于是大家又纷然离座。K 教授和 E 女士又祝福我的将来,杂以雅谑。一时杯声铿然相触,大家欢呼,我笑了,然而也只好引满——

谈至夜阑,谈锋渐趋于诗歌方面。席散后,我忽忆未效穿针乞巧故事,否则也在黑暗中撮弄她们一下子,增些欢笑!

如今到伍岛已逾九日,思想顿然的沉肃了下来。我大错了!十年不近海,追证于童年之乐,以为如今又晨夕与海相处,我的思想,至少是活泼飞扬的。不想她只时时与我以惊跃与凄动!……

九日之中,荡小舟不算外,泛大船出海,已有三次。十三日泛舟至海上聚餐,共载者十六人。乘风扯起三面大帆来,我起初只坐近阑旁,听着水手们扯帆时的歌声,真切的忆起海上风光来。正自凝神,一回头,B 博士笑着招我到舟尾去,让我去把舵,他说:“试试看,你身中曾否带着航海家之血!”舱面大家都笑着看我。我竟接过舵轮来,一面坐下,凝眸前望,俯视罗盘正在我脚前。这船较小些,管轮和驾驶,只须一人。我握着轮齿,觉得桅杆与水平纵横之距离,只凭左右手之转动而推移。此时我心神倾注,海风过耳而不闻。渐渐驶到叔本葛大河(Sheep-

cult River)入海之口。两岸较逼,波流汹涌。我扶轮屏息,偶然侧首看见阑旁士女,容色暇豫,言笑宴宴,始恍然知自己一身责任之重大,说起来不值父亲之一笑!比起父亲在万船如蚁之中,将载着数百军士的战舰,驶进广州湾,自然不可同日语,而在无情的波流上,我初次尝试的心,已有无限的惶恐。说来惭愧,我觉得我两腕之一移动,关系着男女老幼十六人性命的安全!

B博士不离我座旁,却不多指示,只凭我旋转自如。停舟后,大家过来笑着举手致敬,称我为船主,称我为航海家的女儿。

这只是玩笑的事,没有说的价值。而我因此忽忽忆起我所未想见的父亲二十年海上的生涯。我深深的承认直接觉着负责任的,无过于舟中的把舵者。一舟是一世界,双手轮转着顷刻间人们的生死,操纵着众生的欢笑与悲号。几百个乘客在舟上,优游谈笑,说着乘风破浪,以为人人都过着最闲适的光阴。不知舱面小室之中,独有一个凝眸望远的船主,以他倾注如痴的辛苦的心目,保持佑护着这一段数百人闲适欢笑的旅途!

我自此深思了!海岛上的生涯,使我心思昏忽。伍岛后有断涧两处,通以小桥。涧深数丈,海波冲击,声如巨雷。穿过松林,立在磐石上东望,西班牙与我之间,已无寸土之隔。岛的四岸,在清晨,在月夜,我都坐过,凄清得很。——每每夜醒,正是潮满时候,海波直到窗下。淡雾中,灯塔里的雾钟续续的敲着。有时竟还听得见驾驶的银钟,在水面清彻四闻。雪鸥的鸣声,比孤雁还哀切,偶一惊醒,即不复寐……

实在写不尽,我已决意离此。我自己明白知道,工作在前,还不是我回肠荡气的时候!

明天八月十七，邮船便佳城号(City of Bangor)自泊斯(Bath)开往波士顿。我不妨以去年渡太平洋之日，再来横渡大西洋之一角。我真是弱者呵，还是愿意从海道走！

你海上的女儿

八，十六夜，一九二四，伍岛。

通讯二十五

亲爱的小朋友：

海滨归来，又到了湖上。中间虽游了些地方，但都如过眼云烟。半年来的生活，如同缓流的水，无有声响；又如同带上衔勒的小马，负重的，目不旁视的走向前途。童心再也不能唤醒，几番提笔，都觉出了隐微的悲哀。这样一次一次的消停，不觉又将五个月了！

小朋友！饶是如此，还有许多人劝我省了和小孩子通信之力，来写些更重大，更建设的文字。我有何话可说，我爱小孩子。我写儿童通讯的时节，我似乎看得见那天真纯洁的对象，我行云流水似的，不造作，不矜持，说我心中所要说的话。纵使这一切都是虚无呵，也容我年来感着劳顿的心灵，不时的有自由的寄托！

昨夜梦见堆雪人，今晨想起要和你们通信。我梦见那个雪人，在我刚刚完工之后，她忽然蹁跹起舞。我待要追随，霎时间雪花乱飞。我旁立掩目，似乎听得小孩子清脆的声音，在云中

说:“她走了——完了!”醒来看见半圆的冷月,从云隙中窥人,叶上的余雪,洒上窗台,沾着我的头面。我惘然的忆起了一篇匆草的旧稿,题目是《赞美所见》,没有什么意思,只是充一充篇幅。课忙思涩,再写信又不知是何日了!愿你们安好!

冰 心

二,一,一九二五,娜安辟迦楼。

赞美所见

湖上晚晴,落霞艳极。与秀在湖旁并坐,谈到我生平宗教的思想,完全从自然之美感中得来。不但山水,看见美人也不是例外!看见了全美的血肉之躯,往往使我肃然的赞叹造物。一样的眼、眉、腰,在万千形质中,偏她生得那般软美!湖山千古依然,而佳人难再得。眼波樱唇,瞬归尘土。归途中落叶萧萧,感叹无尽,忽然作此。

假如古人曾为全美的体模,
赞美造物,
我就愿为你的容光膜拜。

你——
樱唇上含蕴着天下的温柔,
眼波中凝聚着人间的智慧。
倘若是那夜我在星光中独泛,

你羽衣蹁跹，
飞到我的舟旁——
倘若是那晚我在枫林中独步，
你神光离合
临到我的身畔！

我只有合掌低头，
不能惊叹，
因你本是个女神
本是个天人……

……　……

如今哪堪你以神仙的丰姿，
寄托在一般的血肉之躯。
俨然的，
和我对坐在银灯之下！

我默然瞻仰，
隐然生慕，
慨然兴嗟，
嗟呼，粲者！
我因你赞美了万能的上帝，
嗟呼，粲者！
你引导我步步归向于信仰的天家。

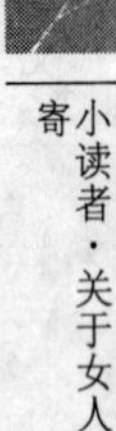

我默然瞻仰,

　隐然生慕,

　慨然兴嗟,

嗟呼,粲者!

　你只须转那双深澈智慧的眼光下望,

　看萧萧落叶遍天涯,

明年春至,

　还有新绿在故枝上萌芽,

嗟呼,粲者!

　青春过了,

　你知道你不如他!

…… ……

樱唇眼波,终是梦痕,

温柔智慧中,愿你永存,

阿们!

十一,一,一九二四,娜安辟迦楼。

通讯二十六

小朋友:

病中,静中,雨中,是我最易动笔的时候;病中心绪惆怅,静中心绪清新，雨中心绪沉潜，随便的拿起笔来，都能写出好些话。

一夏的“云游”，刚告休息。此时窗外微雨，坐守着一炉微火。看书看到心烦，索性将立在椅旁的电灯也捻灭了下去。炉里的木柴，爆裂得息息的响着，火花飞上裙缘。——小朋友！就是这百无聊赖，雨中静中的情绪，勉强了久不修书的我，又来在纸上和你们相见。

暑前六月十八晨，阴，匆匆的将屋里几盆花草，移栽在树下。殷勤拜托了自然的风雨，替我将护着这一年来案旁伴读的花儿。安顿了惜花心事之后，一天一夜的火车，便将我送到银湾(Silver Bay)去。

银湾之名甚韵！往往使我忆起纳兰成德“盈盈从此隔银湾，便无风雪也摧残”之句。入湾之顷，舟上看乔治湖(Lake George)两岸青山，层层转翠。小岛上立着丛树，绿意将倦人唤醒起来。银湾渐渐来到了眼前！黑岭(Black Mountains)高得很，乔治湖又极浩大，山脚下涛声如吼之中，银湾竟有芝罘的风味。

到后寄友人书，曾有“盛名之下，其实难副，人犹如此，地何以堪？你们将银湾比了乐园，周游之下，我只觉索然！”之语。致她来信说我“诗人结习未除，幻想太高”。实则我曾经沧海，银湾似芝罘，而伟大不足，反不如慰冰及绮色佳，深幽妩媚，别具风格，能以动我之爱悦与恋慕。

且将“成见”撇在一边，来叙述银湾的美景。河亭(Brook Pavilion)建在湖岸远伸处，三面是水。早起在那里读诗，水声似乎和着诗韵。山雨欲来，湖上漫漫飞卷的白云，亭中尤其看得真切。大雨初过，湖净如镜，山青如洗。云隙中霞光灿然四

射，穿入水里，天光水影，一片融化在彩虹里，看不分明。光景的奇丽，是诗人画工，都不能描写得到的！

在不系舟上作书，我最喜爱，可惜并没有工夫做。只二十六日下午，在白浪推拥中，独自泛舟到对岸，写了几行。湖水泱泱，往返十里。回来风势大得很，舟儿起落之顷，竟将写好的一张纸，吹没在湖中。迎潮上下时，因着能力的反应，自己觉得很得意，而运桨的两臂，回来后隐隐作痛。

十天之后，又到了绮色佳(Ithaca)。

绮色佳真美！美处在深幽。喻人如隐士，喻季候如秋，喻花如菊。与泉相近，是生平第一次，新颖得很！林中行来，处处傍深涧。睡梦里也听着泉声！六十日的寄居，无时不有"百感都随流水去，一身还被浮名束"这两句，萦回于我的脑海！

在曲折跃下层岩的泉水旁读子书。会心处，悦意处，不是人世言语所能传达。——此外替美国人上了一夏天的坟，绮色佳四五处坟园我都游遍了！这种地方，深沉幽邃，是哲学的，是使人勘破生死观的。我一星期中至少去三次，抚着碑碣，摘去残花，我觉得墓中人很安适的，不知墓中人以我为如何？

刻尤佳湖(Lake Cauaga)为绮色佳名胜之一，也常常在那里泛舟。湖大得很，明媚处较慰冰不如，从略。

八月二十八日，游尼革拉大瀑布(Niagara Falls)。三姊妹岩旁，银涛卷地而来，奔下马蹄岩，直向涡池而去。汹涌的泉涛，藏在微波缓流之下。我乘着小船雾姝号(The Maid of Mist)直到瀑底。仰望美利坚坎拿大两片大泉，坠云搓絮般的奔注！夕阳下水影深蓝，岩石碎迸，水珠打击着头面。泉雷声中，心神悸动！绮色佳之深邃温柔，幸受此万丈冰泉，洗涤冲荡。月下夜归，恍然若失！

九月二日，雨中到雪拉鸠斯(Syracuse)，赴美东中国学生年会。本年会题，是“国家主义与中国”，大家很鼓吹了一下。

年会中忙过十天，又回到波士顿来。十四夜心随车驰，看见了波士顿南站灿然的灯光，九十日的幻梦，恍然惊觉……

夜已深，楼上主人促眠。窗外雨仍不止。异乡的虫声在凄凄的叫着。万里外我敬与小朋友道晚安！

冰　心

九，十七夜，一九二五，默特佛。

通讯二十七

小读者：

无端应了惠登大学(Wheaton College)之招，前天下午到梦野(Mansfield)去。

到了车站，看了车表，才知从波士顿到梦野是要经过沙穰的，我忽然起了无名的怅惘！

我离院后回到沙穰去看病友已有两次。每次都是很惘然，心中很怯，静默中强作微笑。看见道旁的落叶与枯枝，似乎一枝一叶都予我以“转战”的回忆！这次不直到沙穰去，态度似乎较客观些，而感喟仍是不免！我记得以前从医院的廊上，遥遥的能看见从林隙中穿过的白烟一线的火车。我记住地点，凝神远望，果然看见雪白的楼瓦，斜阳中映衬得如同琼宫玉宇一般……

清晨七时从梦野回来，车上又瞥见了！早春的天气，朝阳正暖，候鸟初来。我记得前年此日，山路上我的飘扬的春衣！那时是怎样的止水停云般的心情呵！

小朋友！一病算得什么？便值得这样的惊心？我常常这般的问着自己。然而我的多年不见的朋友，都说我改了。虽说不出不同处在哪里，而病前病后却是迥若两人。假如这是真的呢？是幸还是不幸，似乎还值得低徊罢！

昨天回来后，休息之余，心中只怅怅的，念不下书去。夜中灯下翻出病中和你们通讯来看。小朋友，我以一身兼作了得胜者与失败者，两重悲哀之中，我觉得我禁不住有许多欲说的话！

看见过力士搏狮么？当他屏息负隅，张空拳于狰狞的爪牙之下的时候，他虽有震恐，虽有狂傲，但他决不暇有萧瑟与悲哀。等到一阵神力用过，倏忽中掷此百兽之王于死的铁门之内以后，他神志昏聩的抱头颓坐。在春雷般的欢呼声中，他无力的抬起眼来，看见了在他身旁鬣毛森张，似余残喘的巨物。我信他必忽然起了一阵难禁的战栗，他的全身没在微弱与寂寞的海里！

一败涂地的拿破仑，重过滑铁卢，不必说他有无限的忿激，太息与激昂！然而他的激感，是狂涌而不是深微，是一个人都可抵挡得住。而建了不世之功，退老闲居的惠灵吞，日暮出游，驱车到此战争旧地，他也有一番激感！他仿佛中起了苍茫的怅惘，无主的伤神。斜阳下独立，这白发盈头的老将，在百番转战之后，竟受不住这闲却健儿身手的无边萧瑟！悲哀，得胜者的悲哀呵！

小朋友，与病魔奋战期中的我，是怎样的勇敢与喜乐！我作小孩子，我作 Eskimo，我“足踏枯枝，静听着树叶微语”，我

"试揭自然的帘幕,蹑足走入仙宫"。如今呢,往事都成陈迹!我"终日矜持",我"低头学绣",我"如同缓流的水,半年来无有声响"。是的呵,"一回到健康道上,世事已接踵而来"!虽然我曾应许"我至爱的母亲"说:"我既绝对的认识了生命,我便愿低首去领略。我便愿遍尝了人生中之各趣;人生中之各趣,我便愿遍尝!——我甘心乐意以别的泪与病的血为贽,推开了生命的宫门。"我又应许小朋友说:"领略人生,要如滚针毡,用血肉之躯去遍挨遍尝,要它针针见血!……来日方长,我所能告诉小朋友的,将来或不止此。"而针针见血的生命中之各趣,是须用一片一片天真的童心去换来的。互相叠积传递之间,我还不知要预备下多少怯弱与惊惶的代价!我改了,为了小朋友与我至爱的母亲,我十分情愿屈服于生命的权威之下。然而我愿小朋友倾耳听一听这弱者,失败者的悲哀!

在我热情忠实的小朋友面前,略消了我胸中块垒之后,我愿报告小朋友一个大家欢喜的消息。这时我的母亲正在东半球数着月亮呢!再经过四次月圆,我又可在母亲怀里,便是小朋友也不必耐心的读我一月前,明日黄花的手书了!我是如何的喜欢呵!

小朋友,我觉得对不起!我又以悱恻的思想,贡献给你们。然而我的"诗的女神"只是一个

满蕴着温柔,

微带着忧愁

的,就让她这样的抒写也好。

敬祝你们的喜乐与健康!

冰　心

三,十二,一九二六,娜安辟迦楼。

山中杂记

——遥寄小朋友

大夫说是养病，我自已说是休息，只觉得在拘管而又浪漫的禁令下，过了半年多。这半年中有许多在童心中可惊可笑的事，不足为大人道。只盼他们看到这几篇的时候，唇角下垂，鄙夷的一笑，随手的扔下。而有两三个孩子，拾起这一张纸，渐渐的感起兴味，看完又彼此嘻笑，讲说，传递；我就已经有说不出的喜欢！本来我这两天有无限的无聊。天下许多事都没有道理，比如今天早起那样的烈日，我出去散步的时候，热得头昏。此时近午，却又阴云密布，大风狂起。廊上独坐，除了胡写，还有什么事可作呢？

六，二十三，一九二四，沙穰。

（一）我怯弱的心灵

我小的时候，也和别的孩子一样，非常的胆小。大人们又爱逗我，我的小舅舅说什么《聊斋》，什么《夜谈随录》，都是些僵尸、白面的女鬼等等。在他还说着的时候，我就不自然的惴惴的四顾，塞坐在大人中间，故意的咳嗽。睡觉的时候，看着帐门外，似乎出其不意的也许伸进一只鬼手来。我只这样想着，便用被将自己的头蒙得严严地，结果是睡得周身是汗！

十三四岁以后，什么都不怕了。在山上独自中夜走过丛冢，风吹草动，我只回头凝视。满立着狰狞的神像的大殿，也敢在阴暗中小立。母亲屡屡说我胆大，因为她像我这般年纪的时候，还是怯弱的很。

我白日里的心，总是很宁静，很坚强，不怕那些看不见的鬼怪。只是近来常常在梦中，或是在将醒未醒之顷，一阵悚然，从前所怕的牛头马面，都积压了来，都聚围了来。我呼唤不出，只觉得怕得很，手足都麻木，灵魂似乎蜷曲着。挣扎到醒来，只见满山的青松，一天的明月。洒然自笑，——这样怯弱的梦，十年来已绝不做了，做这梦时，又有些悲哀！童年的事都是有趣的，怯弱的心情，有时也极其可爱。

（二）埋存与发掘

山中的生活，是没有人理的。只要不误了三餐和试验体温的时间，你爱做什么就做什么，医生和看护都不来拘管你。正是童心乘时再现的时候，从前的爱好，都拿来重温一遍。

美国不是我的国，沙穰不是我的家。偶以病因缘，在这里游戏半年，离此后也许此生不再来。不留些纪念，觉得有点过意不去，于是我几乎每日做埋存与发掘的事。

我小的时候，最爱做这些事：墨鱼脊骨雕成的小船，五色纸粘成的小人等等，无论什么东西，玩够了就埋起来。树叶上写上字，掩在土里。石头上刻上字，投在水里。想起来时就去发掘看看，想不起来，也就让它悄悄的永久埋存在那里。

病中不必装大人，自然不妨重做小孩子！游山多半是独行，于是随时随地留下许多纪念，名片，西湖风景画，用过的纱巾等

等，几乎满山中星罗棋布。经过芍药花下，流泉边，山亭里，都使我微笑，这其中都有我的手泽！兴之所至，又往往去掘开看看。

有时也遇见人，我便扎煞着泥污的手，不好意思的站了起来。本来这些事很难解说。人家问时，说又不好，不说又不好，迫不得已只有一笑。因此女伴们更喜欢追问，我只有躲着她们。

那一次一位旧朋友来，她笑说我近来更孩子气，更爱脸红了。童心的再现，有时使我不好意思是真的，半年的休养，自然血气旺盛，脸红那有什么爱不爱的可言呢？

（三）古国的音乐

去冬多有风雪。风雪的时候，便都坐在广厅里，大家随便谈笑，开话匣子，弹琴，编绒织物等等，只是消磨时间。

荣是希腊的女孩子，年纪比我小一点，我们常在一处玩。她以古国国民自居，拉我作伴，常常和美国的女孩子戏笑口角。

我不会弹琴，她不会唱，但闷来无事，也就走到琴边胡闹。翻来覆去的只是那几个简单的熟调子。于是大家都笑道："趁早停了罢，这是什么音乐？"她傲然的叉手站在琴旁说："你们懂得什么？这是东西两古国，合奏的古乐，你们哪里配领略！"琴声仍旧不断，歌声愈高，别人的对话，都不相闻。于是大家急了，将她的口掩住，推到屋角去，从后面连椅子连我，一齐拉开，屋里已笑成一团！

最妙的是连"印第阿那的月"等等的美国调子，一经我们用过，以后无论何时，一听得琴声起，大家都互相点头笑说："听古国的音乐呵！"

（四）雨雪时候的星辰

寒暑表降到冰点下十八度的时候，我们也是在廊下睡觉。

每夜最熟识的就是天上的星辰了。也不过只是点点闪烁的光明,而相看惯了,偶然不见,也有些想望与无聊。

连夜雨雪,一点星光都看不见。荷和我拥衾对坐,在廊子的两角,遥遥谈话。

荷指着说:“你看维纳司(Venus)升起了!”我抬头望时,却是山路转折处的路灯。我怡然一笑,也指着对山的一星灯火说:“那边是周彼得(Jupiter)呢!”

愈指愈多,松林中射来零乱的风灯,都成了满天星宿。真的,雪花隙里,看不出天空和山林的界限,将繁灯当作繁星,简直是抵得过。

一念至诚的将假作真,灯光似乎都从地上飘起。这幻成的星光,都不移动,不必半夜梦醒时,再去追寻它们的位置。

于是雨雪寂寞之夜,也有了慰安了!

(五)她得了刑罚了

休息的时间,是万事不许作的。每天午后的这两点钟,乏倦时觉得需要,睡不着的时候,觉得白天强卧在床上,真是无聊。

我常常偷着带书在床上看,等到看护妇来巡视的时候,就赶紧将书压在枕头底下,闭目装睡。——我无论如何淘气,也不敢大犯规矩,只到看书为止。而璧这个女孩子,往往悄悄的起来,抱膝坐在床上,逗引着别人谈笑。

这一天她又坐起来,看看无人,便指手画脚的学起医生来。大家正卧着看着她笑,看护妇已远远的来了。她的床正对着甬道,卧下已来不及,只得仍旧皱眉的坐着。

看护妇走到廊上。我们都默然,不敢言语。她问璧说,“你

怎么不躺下?”璧笑说:“我胃不好,不住的打呃,躺下就难受。”看护妇道:“你今天饭吃得怎样?”璧惴惴的忍笑的说:“还好!”看护妇沉吟了一会便走出去。璧回首看着我们,抱头笑说:“你们等着,这一下子我完了!”

果然看见看护妇端着一杯药进来,杯中泡泡作声。璧只得接过,皱眉四顾。我们都用毡子藏着脸,暗暗的笑得喘不过气来。

看护妇看着她一口气喝完了,才又慢慢的出去。璧颓然的两手捧着胸口卧了下去,似哭似笑的说:“天呵!好酸!”

她以后不再胡说了,无病吃药是怎样难堪的事。大家谈起,都快意,拍手笑说:“她得了刑罚了!”

(六)Eskimo

沙穰的小朋友替我上的 Eskimo 的徽号,是我所喜爱的,觉得比以前的别的称呼都有趣!

Eskimo 是北美森林中的蛮族。黑发披裘,以雪为屋。过的是冰天雪地的渔猎生涯。我哪能像他们那样的勇敢?

只因去冬风雪无阻的林中游戏行走。林下冰湖正是沙穰村中小朋友的溜冰处。我经过,虽然我们屡次相逢,却没有说话。我只觉得他们往往的停了游走,注视着我,互相耳语。

以后医生的甥女告诉我,沙穰的孩子传说林中来了一个 Eskimo。问他们是怎样说法,他们以黑发披裘为证。医生告诉他们说不是 Eskimo,是院中一个养病的人,他们才不再惊说了。

假如我是真的 Eskimo 呢,我的思想至少要简单了好些,这是第一件可羡的事。曾看过一本书上说:“近代人五分钟的思想,够原始人或野蛮人想一年的。”人类在生理上,五十万年来没有进步,而劳心劳力的事,一年一年的增加,这是疾病的源泉,人生的不幸!

我愿终身在森林之中,我足踏枯枝,我静听树叶微语。清风从林外吹来,带着松枝的香气。白茫茫的雪中,除我外没有行人。我所见所闻,不出青松白雪之外,我就似可满意了!

出院之期不远,女伴戏对我说:“出去到了车水马龙的波士顿街上,千万不要惊倒,这半年的闭居,足可使你成个痴子!”

不必说,我已自惊悚,一回到健康道上,世事已接踵而来……我倒愿做 Eskimo 呢。黑发披裘,只是外面的事!

(七)说几句爱海的孩气的话

白发的老医生对我说:“可喜你已大好了,城市与你不宜,今夏海滨之行,也是取消了为妙。”

这句话如同平地起了一个焦雷!

学问未必都在书本上。纽约、康桥、芝加哥这些人烟稠密的地方,终身不去也没有什么,只是说不许我到海边去,这却太使我伤心了。

我抬头张目的说:“不,你没有阻止我到海边去的意思!”

他笑道:“是的,我不愿意你到海边去,太潮湿了,于你新愈的身体没有好处。”

我们争执了半点钟,至终他说:“那么你去一个礼拜罢!”他又笑说:“其实秋后的湖上,也够你玩的了!”

我爱慰冰,无非也是海的关系。若完全的叫湖光代替了海色,我似乎不大甘心。

可怜,沙穰的六个多月,除了小小的流泉外,连慰冰都看不

见！山也是可爱的，但和海比，的确比不起，我有我的理由！

人常常说："海阔天空。"只有在海上的时候，才觉得天空阔远到了尽量处。在山上的时候，走到岩壁中间，有时只见一线天光。即或是到了山顶，而因着天末是山，天与地的界线便起伏不平，不如水平线的齐整。

海是蓝色灰色的。山是黄色绿色的。拿颜色来比，山也比海不过，蓝色灰色含着庄严淡远的意味，黄色绿色却未免浅显小方一些。固然我们常以黄色为至尊，皇帝的龙袍是黄色的，但皇帝称为"天子"，天比皇帝还尊贵，而天却是蓝色的。

海是动的，山是静的；海是活泼的，山是呆板的。昼长人静的时候，天气又热，凝神望着青山，一片黑郁郁的连绵不动，如同病牛一般。而海呢，你看她没有一刻静止！从天边微波粼粼的直卷到岸边，触着崖石，更欣然的溅跃了起来，开了灿然万朵的银花！

四围是大海，与四围是乱山，两者相较，是如何滋味，看古诗便可知道。比如说海上山上看月出，古诗说："南山塞天地，日月石上生。"细细咀嚼，这两句形容乱山，形容得极好，而光景何等臃肿，崎岖，僵冷，读了不使人生快感。而"海上生明月，天涯共此时"，也是月出，光景却何等妩媚，遥远，璀璨！

原也是的，海上没有红白紫黄的野花，没有蓝雀红襟等等美丽的小鸟。然而野花到秋冬之间，便都萎谢，反予人以凋落的凄凉。海上的朝霞晚霞，天上水里反映到不止红白紫黄这几个颜色。这一片花，却是四时不断的。说到飞鸟，蓝雀红襟自然也可爱，而海上的沙鸥，白胸翠羽，轻盈的飘浮在浪花之上，"凌波微步，罗袜生尘"。看见蓝雀红襟，只使我联忆到"山禽自唤名"，而见海鸥，却使我联忆到千古颂赞美人，颂赞到绝顶的句子，是“婉若游龙，翩若惊鸿”！

在海上又使人有透视的能力，这句话天然是真的！你倚阑俯视，你不由自主的要想起这万顷碧琉璃之下，有什么明珠，什么珊瑚，什么龙女，什么鲛纱。在山上呢，很少使人想到山石黄泉以下，有什么金银铜铁。因为海水透明，天然的有引人们思想往深里去的趋向。

简直越说越没有完了，总而言之，统而言之，我以为海比山强得多。说句极端的话，假如我犯了天条，赐我自杀，我也愿投海，不愿坠崖！

争论真有意思！我对于山和海的品评，小朋友们愈和我辩驳愈好。“人心之不同，各如其面”，这样世界上才有个不同和变换。假如世界上的人都是一样的脸，我必不愿见人。假如天下人都是一样的嗜好，穿衣服的颜色式样都是一般的，则世界成了一个大学校，男女老幼都穿一样的制服。想至此不但好笑，而且无味！再一说，如大家都爱海呢，大家都搬到海上去，我又不得清静了！

（八）他们说我幸运

山做了围墙，草场成了庭院，这一带山林是我游戏的地方。早晨朝露还颗颗闪烁的时候，我就出去奔走，鞋袜往往都被露水淋湿了。黄昏睡起，短裙卷袖，微风吹衣，晚霞中我又游云似的在山路上徘徊。

固然的，如词中所说：“落日解鞍芳草岸，花无人戴，酒无人劝，醉也无人管！”不是什么好滋味；而“无人管”的情景，有时却真难得。你要以山中踯躅的态度，移在别处，可就不行。在学校中，在城市里，是不容你有行云流水的神意的。只因管你的

人太多了！

我们楼后的儿童院，那天早晨我去参观了。正值院里的小朋友们在上课，有的在默写生字，有的在做算学。大家都有点事牵住精神，而忙中偷闲，还暗地传递小纸条，偷说偷玩，小手小脚，没有安静的时候。这些孩子我都认得，只因他们在上课，我只在后面悄悄的坐着，不敢和他们谈话。

不见黑板六个月了，这倒不觉得怎样。只是看见教员桌上那个又大又圆的地球仪，满屋里矮小的桌子椅子，字迹很大的卷角的书：倏时将我唤回到十五年前去。而黑板上写着的

$$\begin{array}{r}35\\-15\\\hline\end{array}\qquad\begin{array}{r}21\\+10\\\hline\end{array}\qquad\begin{array}{r}18\\-\ 9\\\hline\end{array}\qquad\begin{array}{r}64\\\times 79\\\hline\end{array}$$

方程式。以及站在黑板前扶头思索，将粉笔在手掌上乱画的小朋友，我看着更觉得有一种说不出的怅惘。窗外日影徐移，虽不是我在上课，而我呆呆的看着壁上的大钟，竟有急盼放学的意思！

放学了，我正和教员谈话，小朋友们围拢来将我拉开了。保罗笑问我说："你们那楼里也有功课么？"我说："没有，我们天天只是玩！"彼得笑叹道："你真是幸运！"

他们也是休养着，却每天仍有四点钟的功课。我出游的工夫，只在一定的时间里，才能见着他们。

唤起我十五年前的事，惭愧"三七二十一，四七二十八"的背乘数表等等，我已算熬过去，打过这一关来了！而回想半年前，厚而大的笔记本，满屋满架的参考书，教授们流水般的口讲，……如今病好了，这生活还必须去过，又是怃然。

这生活还必须去过。不但人管，我也自管。"哀莫大于心死"，被人管的时候，传递小纸条偷说偷玩等事，还有工夫做。

而自管的时候，这种动机竟绝然没有。十几年的训练，使人绝对的被书本征服了！

小朋友，“幸运”这两字又岂易言？

（九）机器与人类幸福

小朋友一定知道机器的用处和好处，就是省人力，能在很短的时间内做很重大的工作。

在山中闲居，没有看见别的机器的机会，而山右附近的农园中的机器，已足使我赞叹。

他们用机器耕地，用机器撒种，以至于刈割等等，都是机器一手经理。那天我特地走到山前去，望见农人坐在汽机上，开足机力，在田地上突突爬走。很坚实的地土，汽机过处，都水浪似的，分开两边，不到半点钟工夫，很宽阔一片地，都已耕松了。

农人从衣袋里掏出表来一看，便缓缓的捩转汽机，回到园里去。我也自转身。不知为何，竟然微笑。农人运用大机器，而小机器的表，又指挥了农人。我觉得很滑稽！

我小的时候，家园墙外，一望都是麦地。耕种收割的事，是最熟见不过的了。农夫农妇，汗流浃背的蹲在田里，一锄一锄的掘，一镰刀一镰刀的割。我在旁边看着，往往替他们吃力，又觉得迟缓的可怜！

两下里比起来，我确信机器是增进人类幸福的工具。但昨天我对于此事又有点怀疑。

昨天一下午，楼上楼下几十个病人都没有睡好！休息的时间内，山前耕地的汽机，轧轧的声满天地。酷暑的檐下，蒸炉一般热的床上，听着这单调而枯燥，震耳欲聋的铁器声，连续不断，脑筋完全跟着它颠簸了。焦躁加上震动，真使人有疯

狂的倾向！

楼上下一片喃喃怨望声，却无法使这机器止住。结果我自己头痛欲裂。楼下那几个日夜发烧到一百零三，一百零四度的女孩子，我真替她们可怜，更不知她们烦恼到什么地步！农人所节省的一天半天的工夫，和这几十个病人，这半日精神上所受的痛苦和损失，比较起来，相差远了！机器又似乎未必能增益人类的幸福。

想起幼年我的书斋只和麦地隔一道墙。假如那时的农人也用机器，简直我的书不用念了！

这声音直到黄昏才止息。我因头痛，要出去走走，顺便也去看看那害我半日不得休息的汽机。——走到田边，看见三四个农人正站着踌躇，手臂都叉在腰上，摇头叹息。原来机器坏了。这座东西笨重的很，十个人也休想搬得动，只得明天再开一座汽机来拉它。

我一笑就回来了——

（十）鸟兽不可与同群

女伴都笑弗玲是个傻子。而她并没有傻子的头脑，她的话有的我很喜欢。她说："和人谈话真拘束，不如同小鸟小猫去谈。它们不扰乱你，而且温柔的静默的听你说。"

我常常看见她坐在樱花下，对着小鸟，自说自笑。有时坐在廊上，抚着小猫，半天不动。这种行径，我并不觉得讨厌，也许就是因此，女伴才赠她以傻子的徽号，也未可知。

和人谈话未必真拘束，但如同生人，大人先生等等，正襟危坐的谈起来，却真不能说是乐事。十年来正襟危坐谈话的时候，一天比一天的多。我虽也做惯了，但偶有机会，我仍想释放我自己。这半年我就也常常做傻子了!

第一乐事,就是拔草喂马。看着这庞然大物,温驯的磨动它的松软的大口,和齐整的大牙,在你手中吃嚼青草的时候,你觉得它有说不尽的妩媚。

每日山后牛棚,拉着满车的牛乳罐的那匹斑白大马,我每日喂它。乳车停住了,驾车人往厨房里搬运牛乳,我便慢慢的过去。在我跪伏在樱花底下,拔那十样锦的叶子的时候,它便侧转那狭长而良善的脸来看我,表示它的欢迎与等待。我们渐渐熟识了,远远的看见我,它便抬起头来。我相信我离开之后,它虽不会说话,它必每日的怀念我。

还有就是小狗了。那只棕色的,在和我生分的时候,曾经吓过我。那一天雪中游山,出其不意在山顶遇见它,它追着我狂吠不止,我吓得走不动。它看我吓怔了,才住了吠,得了胜利似的,垂尾下山而去。我看它走了,一口气跑了回来。一夜没有睡好,心脉每分钟跳到一百十五下。

女伴告诉我,它是最可爱的狗,从来不咬人的。以后再遇见它,我先呼唤它的名字,它竟摇尾走了过来。自后每次我游山,它总是前前后后的跟着走。山林中雪深的时候,光景很冷静。它总算助了我不少的胆子。

此外还有一只小黑狗,尤其跳荡可爱。一只小白狗,也很驯良。

我从来不十分爱猫。因为小猫很带狡猾的样子,又喜欢抓人。医院中有一只小黑猫,在我进院的第二天早起刚开了门,它已从门隙塞进来,一跃到我床上,悄悄的便伏在我的怀前,眼睛慢慢的闭上,很安稳的便要睡着。我最怕小猫睡时呼吸的声音!我想推它,又怕它抓我。那几天我心里又难过,因此愈加

焦躁。幸而看护妇不久便进来！我皱眉叫她抱出这小猫去。

以后我渐渐的也爱它了。它并不抓人。当它仰卧在草地上，用前面两只小爪，拨弄着玫瑰花叶，自惊自跳的时候，我觉得它充满了活泼和欢悦。

小鸟是怎样的玲珑娇小呵！在北京城里，我只看见老鸦和麻雀。有时也看见啄木鸟。在此却是雪未化尽，鸟儿已成群的来了。最先的便是青鸟。西方人以青鸟为快乐的象征，我看最恰当不过。因为青鸟的鸣声中，婉转的报着春的消息。

知更雀的红胸，在雪地上，草地上站着，都极其鲜明。小蜂雀更小到无可苗条，从花梢飞过的时候，竟要比花还小。我在山亭中有时抬头瞥见，只屏息静立，连眼珠都不敢动，我似乎恐怕将这弱不禁风的小仙子惊走了。

此外还有许多毛羽鲜丽的小鸟，我因找不出它们的中国名字，只得阙疑。早起朝日未出，已满山满谷的起了轻美的歌声。在朦胧的晓风之中，欹枕倾听，使人心魂俱静。春是鸟的世界，“以鸟鸣春”和“春眠不觉晓，处处闻啼鸟”，这两句话，我如今彻底的领略过了！

我们幕天席地的生涯之中，和小鸟最相亲爱。玫瑰和丁香丛中更有青鸟和知更雀的巢，那巢都是筑得极低，一伸手便可触到。我常常去探望小鸟的家庭，而我却从不做偷卵捉雏等等破坏它们家庭幸福的事。我想到我自己不过是暂时离家，我的母亲和父亲已这样的牵挂。假如我被人捉去，关在笼里，永远不得回来呢，我的父亲母亲岂不心碎？我爱自己，也爱雏鸟，我爱我的双亲，我也爱雏鸟的双亲！

而且是怎样有趣的事，你看小鸟破壳出来，很黄的小口，毛羽也很稀疏，觉得很丑。它们又极其贪吃，终日张口在巢里啾啾的叫！累得它母亲飞去飞回的忙碌。渐渐的长大了，它母亲领它们飞到地上。它们的毛羽很蓬松，两只小腿蹒跚的走，看去比它们的母亲还肥大。它们很傻的样子，茫然的跟着母亲乱跳。母亲偶然啄得了一条小虫，它们便纷然的过去，啾啾的争着吃。早起母亲教给它们歌唱，母亲的声音极婉转，它们的声音，却很憨涩。这几天来，它们已完全的会飞了，会唱了，也知道自己觅食，不再累它们的母亲了。前天我去探望它们时，这些雏鸟已不在巢里，它们已筑起新的巢了，在离它们的父母的巢不远的枝上，它们常常来看它们的父母的。

还有虫儿也是可爱的。藕合色的小蝴蝶，背着圆壳的蜗牛，嗡嗡的蜜蜂，甚至于水里每夜乱唱的青蛙，在花丛中闪烁的萤虫，都是极温柔，极其孩子气的。你若爱它，它也爱你们。因为它们太喜爱小孩子。大人们太忙，没有工夫和它们玩。

通讯二十八

亲爱的娘：

今晨得到冰仲弟自北京寄来的《寄小读者》，匆匆的翻了一过，我止水般的热情，重复荡漾了起来！亲爱的母亲！我的脚已踏着了祖国的田野，我心中复杂的蕴结着欢慰与悲凉！念七日的黄昏，三年前携我远游的约克逊号，徐徐的驶进吴淞口岸的时候，我抱柱而立。迎着江上吹面不寒的和风，我心中只掩映着母亲的慈颜。三年之别，我并不曾改，我仍是三年前母亲的娇儿，仍是念余年前母亲怀抱中的娇儿！

上海苦热，回忆船上海风中看明月的情景，真是往事都成陈迹！念六夜海波如吼，水影深黑，只在明月与我之间，在水上铺成一条闪烁碎光的道路。看着船旁哗然飞溅的浪花，这一星星都迸碎了我远游之梦！母亲，你是大海，我只是刹那间溅跃的浪花。虽暂时在最低的空间上，幻出种种的闪光，而在最短的时间中，即又飞进母亲的怀里。母亲！我美游之梦，已在欠伸将觉之中。祖国的海波，一声声的洗淡了我心中个个的梦中人影。母亲！梦中人只是梦中人，除了你，谁是我永久灵魂之归宿？

念七晨我未明即起，望见了江上片片祖国的帆影之后，我已不能再睡觉！我俯在圆窗上看满月西落，紫光欲退，而东方天际的明霞，又已报我以天光的消息！母亲，为了你，万里归来的女儿，都觉得这些国外也常常看见的残月朝晖，这时却都予我以极浓热的慕恋的情意。

母亲，我只是一个山陬海隅的孩子，一个北方乡野的孩子。上海实在住不了！长裙短衫，蝶翅般的袖子，油光的头，额上不自然的剪下三四缕短发。这般千人一律，不个性的打扮，我觉得心烦而又畏怯。这里热得很，哥哥姊姊们又喜欢灌我酒。前晚喝的是“大宛香”，还容易下咽，今夜是“白玫瑰露”，真把我吃醉了。匆匆的走上楼来和衣而卧。酒醒已是中夜，明月正当着我的窗户。朦胧中记得是离家已近，才免去那“杨柳岸晓风残月”的悲哀。

母亲！你看我写的歪斜的字，嫂嫂笑说我仍在病酒！我定八月二夜北上了。我爱母亲！我怕热，我不会吃酒，还是回家好！

这封信转小朋友看看不妨事罢？

还家的女儿

七月卅日上海

通讯二十九

最亲爱的小读者：

我回家了！这"回家"二字中我迸出了感谢与欢欣之泪！三年在外的光阴，回想起来，曾不如流波之一瞥。我写这信的时候，小弟冰季守在旁边。窗外，红的是夹竹桃，绿的是杨柳枝，衬以北京的蔚蓝透彻的天。故乡的景物，一一回到眼前来了！

小朋友！你若是不曾离开中国北方，不曾离开到三年之久，你不会赞叹欣赏北方蔚蓝的天！清晨起来，揭帘外望，这一片海波似的青空，有一两堆洁白的云，疏疏的来往着，柳叶儿在晓风中摇曳，整个的送给你一丝丝凉意。你觉得这一种"冷浓处"的幽幽的乡情，是异国他乡所万尝不到的！假如你是一个情感较重的人，你会兴起一种似欢喜非欢喜，似怅惘非怅惘的情绪。站着痴望了一会子，你也许会流下无主，皈依之泪！

在异国，我只遇见了两次这种的云影天光。一次是前年夏日在新汉寿(New Hampshire)白岭之巅。我午睡乍醒，得了英伦朋友的一封书，是一封充满了友情别意，并描写牛津景物写到引人入梦的书。我心中杂揉着怅惘与欢悦，带着这信走上山巅去，猛然见了那异国的蓝海似的天！四围山色之中，这油然一碧的天空，充满了一切。漫天匝地的斜阳，酿出西边天际一两抹的绛红深紫。这颜色须臾万变，而银灰，而鱼肚白，倏然间又转成灿然的黄金。万山沉寂，因着这奇丽的天末的变幻，似

乎太空有声！如波涌，如鸟鸣，如风啸，我似乎听到了那夕阳下落的声音。这时我骤然间觉得弱小的心灵被这伟大的印象，升举到高空，又倏然间被压落在海底！我觉出了造化的庄严，一身之幼稚，病后的我，在这四周艳射的景象中，竟伏于纤草之上，呜咽不止！

还有一次是今年春天，在华京(Washington D. C.)之一晚。我从枯冷的纽约城南行，在华京把“春”寻到！在和风中我坐近窗户，那时已是傍晚，这国家妇女会(National Women's Party)舍，正对着国会的白楼。半日倦旅的眼睛，被这楼后的青天唤醒！海外的小朋友！请你们饶恕我，在我倏忽的惊叹了国会的白楼之前，两年半美国之寄居，我不曾觉出她是一个庄严的国度！

这白楼在半天矗立着，如同一座玲珑洞开的仙阁。被楼旁的强力灯逼射着，更显得出那楼后的青空。两旁也是伟大的白石楼舍。楼前是极宽阔的白石街道。雪白的球灯，整齐的映照着。路上行人，都在那伟大的景物中，寂然无声。这种天国似的静默，是我到美国以来第一次寻到的。我寻到了华京与北京相同之点了

我突起的乡思，如同一个波澜怒翻的海！把椅子推开，走下这一座万静的高楼，直向大图书馆走去。路上我觉得有说不出的愉快与自由。杨柳的新绿，摇曳着初春的晚风。熟客似的，我走入大阅书室，在那里写着日记。写着忽然忆起陆放翁的“唤作主人原是客，知非吾土强登楼”的两句诗来。细细咀嚼这“唤”字和“强”字的意思，我的意兴渐渐的萧索了起来！

我合上书，又洋洋的走了出去。出门来一天星斗。我长吁一口气。——看见路旁一辆手推的篷车，一个黑人在叫卖炒花

生栗子。我从病后是不吃零食的,那时忽然走上前去,买了两包。那灯下黝黑的脸,向我很和气的一笑,又把我强寻的乡梦搅断！我何尝要吃花生栗子？无非要强以华京作北京而已！

写到此我腕弱了,小朋友,我觉得不好意思告诉你们,我回来后又一病逾旬,今晨是第一次写长信。我行程中本已憔悴困顿,到家后心里一松,病魔便乘机而起。我原不算是十分多病的人,不知为何,自和你们通讯,我生涯中便病忙相杂,这是怎么说的呢!

故国的新秋来了。新愈的我,觉得有喜悦的萧瑟！还有许多话,留着以后说罢,好在如今我离着你们近了!

你热情忠实的朋友,在此祝你们的喜乐!

冰　心

八,三十一,一九二六,圆恩寺。

再寄小读者

通　讯　一

亲爱的小朋友：

今天真是和你们重新通讯的光明的开始，山头满了阳光，日影从深密的松林中，穿射过来，幻成几根迷濛的光柱。晴光中，一双翠鸟，低贴着潭水飞来，娇婉的叫了几声，又掠入满缀着红豆的大青丛里。岩下远近的青峰，隔着淡淡的云影，稳静的重叠的排立着。嘉陵江，绿锦似的，宛宛的向东牵引。隔江的山城，无数淡白的屋顶，错杂的隐在淡雾里。眼前一切，都显出安静，光明和欢喜。

这正是象征着我这时的心境！自从民国十二年开始和小朋友通讯，一转眼又是二十年了。在这两次通讯中间，我又以活跃的童心，走了一大段充满了色，光，热的生命的旅途。我做了教师，做了主妇，又做了母亲。我多读了几本书，多认识了几个朋友，多走了几万里国内国外的道路。这二十年的生命中虽没有什么巨惊大险，极痛狂欢，而在我小小的心灵里，也有过晓晴般的怡悦，暮烟般的怅惘，中宵梵唱般的感悟，清晨鼓角般的奋兴。许多事实，许多心绪，可以告诉给我的最同情的小朋友的，容我在以后的通讯里，慢慢的来陈述。

小朋友，这些年里，我收到你们许多信件，细小端楷的字迹，天真诚挚的言词，每次开函，都使我有无限的感谢和欢喜。

为了这些信件，这几年来，我在病榻上，索居中，旅途里，永远不曾感到寂寞，因为我知道有这许多颗天真纯洁的心，南北东西的在包围追随着我！

因此，在民国三十二年元日，我借了《大公报》的篇幅，来开始答谢我的小读者。这通讯将不断的继续下去，希望因着更多的经验，我所能贡献给小朋友的，比从前可以更宽广深刻一些。

愿这第一封信，将我的开朗欢悦的心情，带给每个小读者！

愿抗战后的第六个新年，因着你们，而更加快乐，更见光明！

你的朋友　冰　心

一九四二年十二月十二日，歌乐山。

通　讯　二

小朋友：

今天让我们来谈“友谊”。

友谊是人我关系中最可宝贵的一段因缘——朋友虽列于五伦之末，而朋友的范围却包括得最广，你的君，臣，（现在可以说是领袖，上司）父，子，兄，弟，夫，妇，同时都可以是你的朋友。

朋友是不分国籍，不限年龄，不拘性别的；只要理想相同，兴趣相近，情感相洽，意气相投的人，都可以很坚固的联结在一起。世界上有多少崇高理想的实现，艰巨事业的创立，伟大艺术的产生，都是一班志同道合的朋友，共同努力，相互切磋的结果。这种例子，在中外古今的历史上，是到处可以找到的。

同时，不但相似相同的人格，容易成为朋友，而朋友往往还是你空虚的填满,缺憾的补足,心灵的加深——你自己率直豪爽,你更佩服你朋友的谦退深沉;你自己热情好动,你更欣赏你朋友的冲淡静默;你自己多愁善病,你更羡慕你朋友的健硕欢欣。各种不同的人格,如同琴瑟上不同的弦子,和谐合奏,就能发出天乐般悦耳的共鸣。

交友是一种艺术。

热情,活泼,而富于同情心的人,常常能吸引许多朋友,而磁石只吸引着钢铁,月亮只吸引着海潮。

你能择友,则你的朋友将加倍的宝贵你的友情。

不要只想你能从朋友那里得到什么,也要想你的朋友能从你这里得到什么。

肯耕种的才有收获,能贡献的才配接受。

友谊是宁神药,是兴奋剂。

使你堕落,消沉的,不是你的好朋友。同时也要警惕,你是否在使你的朋友奋兴,向上?

友谊是大海中的灯塔,沙漠里的绿洲。

当你的心帆飘流于"理""欲"的三叉江口,波涛汹涌,礁石嶙峋,你要寻望你朋友的一点隐射的灵光,来照临,来指引。当你颠顿在人生枯燥炎热的旅途上,你的辛劳,你的担负,得不到一些酬报和支持的时候,你要奔憩在你朋友的亭亭绿荫之下,就饮于荡涤烦秽的甘泉。

古人有句说:"最难风雨故人来",——不但气候上有风雨,心灵上也有风雨!

你的心灵曾否走失于空山荒野之中,风吹雨打,四顾茫茫,忽然有你的朋友,开启了"同情"的柴扉,延请你进入他"爱"的

茅庐,卸去你劳苦的蓑衣,拭去你脸上的泪雨,而把你推坐在“友情”的温暖炉火之前。

同时你也常常开着同情的心门,生起友爱的炉火,在屋前瞭望。

友谊中只有快乐,只有慰安,只有奋兴,只有连结。

友谊中虽然也有痛苦,古人的诗文中,不少伤逝惜别之句,然而友谊是不死的,友谊是不因离别而断隔的。“海内存知己,天涯若比邻”,“得一知己,可以无恨”,这痛苦里是没有“寂寞”的,因为我们已经享有了那些朋友的友情!“寂寞”——心灵上的孤独,才是世界上最可怕的东西!

小朋友,在人生路上,我们虽然是孤身启程,而沿途却逐渐加入了许多同行的好伴,形成了一个整齐的队伍,并肩携手,载欣载奔,使我们克服了世路的险峻崎岖,忘却了长行的疲乏劳顿,我们要如何感谢人世间有这一种关系,这一段因缘?

愿你们永远是我的好朋友,假如我配,就请你们也让我做你们的好朋友。

冰　心

一九四二年十二月二十二日,重庆。

通　讯　三

亲爱的小朋友:

昨夜还看见新月，今晨起来，却又是浓阴的天！空山万静，我生起一盆炭火，掩上斋门，在窗前桌上，供上腊梅一枝，名香一炷，清茶一碗，自己扶头默坐，细细的来忆念我的母亲。

今天是旧历腊八，从前是我的母亲忆念她的母亲的日子，如今竟轮到我了。

母亲逝世，今天整整十三年了，年年此日，我总是出外排遣，不敢任自己哀情的奔放。今天却要凭着“冷”与“静”，来细细的忆念我至爱的母亲。

十三年以来，母亲的音容渐远渐淡，我是如同从最高峰上，缓步下山，但每一驻足回望，只觉得山势愈巍峨，山容愈静穆，我知道我离山愈远，而这座山峰，愈会无限度的增高的。

激荡的悲怀，渐归平靖，十几年来涉世较深，阅人更众，我深深的觉得我敬爱她，不只因为她是我的母亲，实在因为她是我平生所遇到的，最卓越的人格。

她一生多病，而身体上的疾病，并不曾影响她心灵的健康。她一生好静，而她常是她周围一切欢笑与热闹的发动者。她不曾进过私塾或学校，而她能欣赏旧文学，接受新思想，她一生没有过多余的财产，而她能急人之急，周老济贫。她在家是个娇生惯养的独女，而嫁后在三四十口的大家庭中，能敬上怜下，得每一个人的敬爱。在家庭布置上，她喜欢整齐精美，而精美中并不显出骄奢。在家人衣着上，她喜欢素淡质朴，而质朴里并不显出寒酸。她对子女婢仆，从没有过疾言厉色，而一家人都翕然的敬重她的言词。她一生在我们中间，真如父亲所说的，是“清风入座，明月当头”，这是何等有修养，能包容的伟大的人格呵！

十几年来，母亲永恒的生活在我们的忆念之中。我们一家

团聚,或是三三两两的在一起,常常有大家忽然沉默的一刹那,虽然大家都不说出什么,但我们彼此晓得,在这一刹那的沉默中,我们都在痛忆着母亲。

我们在玩到好山水时想起她,读到一本好书时想起她,听到一番好谈话时想起她,看到一个美好的人时,也想起她——假如母亲尚在,和我们一同欣赏,不知她要发怎样美妙的议论?要下怎样精确的批评?我们不但在快乐的时候想起她,在忧患的时候更想起她,我们爱惜她的身体,抗战以来的逃难,逃警报,我们都想假如母亲仍在,她脆弱的身躯,决受不起这样的奔波与惊恐,反因着她的早逝,而感谢上天。但我们也想到,假如母亲尚在,不知她要怎样热烈,怎样兴奋,要给我们以多大的鼓励与慰安——但这一切,现在都谈不到了。

在我一生中,母亲是最用精神来慰励我的一个人,十几年"教师"、"主妇"、"母亲"的生活中,我也就常用我的精神去慰励别人。而在我自已疲倦,烦躁,颓丧的时候,心灵上就会感到无边的迷惘与空虚!我想:假如母亲尚在,纵使我不发一言,只要我能倚在她的身旁,伏在她的肩上,闭目宁神在她轻轻的摩抚中,我就能得到莫大的慰安与温暖,我就能再有勇气,再有精神去应付一切,但是:十三年来这种空虚,竟无法填满了,悲哀,失母的悲哀呵!

一朵梅花,无声的落在桌上。香尽,茶凉!炭火也烧成了灰,我只觉得心头起栗,站起来推窗外望,一片迷茫,原来雾更大了!雾点凝聚在松枝上。千百棵松树,千万条的松针尖上,挑着千万颗晶莹的泪珠……

恕我不往下写吧,——有母亲的小朋友,愿你永远生活在母亲的恩慈中。没有母亲的小朋友,愿你母亲的美华永远生活在你的人格里!

你的朋友　冰　心

一九四三年一月三日,歌乐山。

通　讯　四

亲爱的小朋友:

一位从军的小朋友,要我谈生命,这问题很费我思索。

我不敢说生命是什么,我只能说生命像什么。

生命像向东流的一江春水,它从最高处发源,冰雪是它的前身。它聚集起许多细流,合成一股有力的洪涛,向下奔注,它曲折的穿过了悬岩削壁,冲倒了层沙积土,挟卷着滚滚的沙石,快乐勇敢的流走,一路上它享乐着它所遭遇的一切——

有时候它遇到巉岩前阻,它愤激的奔腾了起来,怒吼着,回旋着,前波后浪的起伏催逼,直到它涌过了,冲倒了这危崖,它才心平气和的一泻千里。

有时候它经过了细细的平沙,斜阳芳草里,看见了夹岸红艳的桃花,它快乐而又羞怯,静静地流着,低低地吟唱着,轻轻的度过这一段浪漫的行程。

有时候它遇到暴风雨,这激电,这迅雷,使它心魂惊骇,疾风吹卷起它,大雨击打着它,它暂时浑浊了,扰乱了,而雨过天晴,只加给它许多新生的力量。

有时候它遇到了晚霞和新月,向它照耀,向它投影,清冷中

带些幽幽的温暖:这时它只想憩息,只想睡眠,而那股前进的力量,仍催逼着它向前走……

终于有一天,它远远地望见了大海,呵!它已到了行程的终结,这大海,使它屏息,使它低头。她多么辽阔,多么伟大!多么光明,又多么黑暗!大海庄严的伸出臂儿来接引它。它一声不响的流入她的怀里。它消融了,归化了,说不上快乐,也没有悲哀!

也许有一天,它再从海上蓬蓬的雨点中升起,飞向西来,再形成一道江流,再冲倒两旁的石壁,再来寻夹岸的桃花。

然而我不敢说来生,也不敢信来生!

生命又像一棵小树,它从地底里聚集起许多生力,在冰雪下欠伸,在早春润湿的泥土中,勇敢快乐的破壳出来。它也许长在平原上,岩石中,城墙里,只要它抬头看见了天,呵,看见了天!它便伸出嫩叶来吸收空气,承受日光,在雨中吟唱,在风中跳舞。它也许受着大树的荫遮,也许受着大树的覆压,而它青春生长的力量,终使它穿枝拂叶的挣脱了出来,在烈日下挺立抬头!

它过着骄奢的春天,它也许开出满树的繁花,蜂蝶围绕着它飘翔喧闹,小鸟在它枝头欣赏唱歌,它会听见黄莺清吟,杜鹃啼血,也许还听见枭鸟的怪嗥。

它长到最茂盛的中年,它伸展出它如盖的浓荫,来荫庇树下的幽花芳草,它结出累累的果实,来呈现大地无尽的甜美与芳馨。

秋风起了,将它的叶子,由浓绿吹到绯红,秋阳下它再有一番的庄严灿烂,不是开花的骄傲,也不是结果的快乐,而是成功后的宁静的怡悦!

终于有一天,冬天的朔风,把它的黄叶干枝,卷落吹抖,它无力的在空中旋舞,在根下呻吟。大地庄严的伸出手儿来接引它,它一声不响的落在她的怀里。它消融了,归化了,它说不上快乐,也没有悲哀!

也许有一天,它再从地下的果仁中,破裂了出来,又长成一棵小树,再穿过丛莽的严遮,再来听黄莺的歌唱。

然而我不敢说来生,也不敢信来生。

宇宙是一个大生命,我们是宇宙大气中之一息。江流入海,叶落归根,我们是大生命中之一叶,大生命中之一滴。

在宇宙的大生命中,我们是多么卑微,多么渺小,而一滴一叶,也有它自己的使命!

要知道:生命的象征是活动,是生长,一滴一叶的活动生长,合成了整个宇宙的进化运行。

要记住:不是每一道江流都能入海,不流动的便成了死湖;不是每一粒种子都能成树,不生长的便成了空壳!

生命中不是永远快乐,也不是永远痛苦,快乐和痛苦是相生相成的。等于水道要经过不同的两岸,树木要经过常变的四时。

在快乐中我们要感谢生命,在痛苦中我们也要感谢生命。快乐固然兴奋,苦痛又何尝不美丽?我曾读到一个警句,是:“愿你生命中有够多的云翳,来造成一个美丽的黄昏”。——(May there be enough clouds in your life to make a beautiful sunset.)

世界,国家和个人生命中的云翳,没有比今天再多的了。

小朋友,我们愿不愿意有一个成功后快乐的回忆,就是这

位诗人所谓之“美丽的黄昏”?

祝福你的朋友　冰　心

一九四四年十二月一日,雨夜,歌乐山。

(原载1943年1月1日、4日、18日、1944年12月15日重庆《大公报》)

关于女人

1943年8月重庆天地出版社初版
1945年11月上海开明书店修订再版
1980年12月宁夏人民出版社第三版

三版自序

《关于女人》的初版后记和再版自序，说的都是实话，不过那都是用“男士”的口吻和身份写的，如今这“三版自序”，我就只好“打开天窗说亮话”了！

宁夏人民出版社托人来向我索稿，我无以应命，只好以久已绝版的《关于女人》送给他们——一九六六年九月初，我写的几本书都让红卫兵拿去“审查”，至今没有下落！我手里的这本《关于女人》还是巴金同志替我在上海的旧书摊上寻来的——我对这本书有点偏爱，没事就翻来看看，不但是要和书中的我所喜爱的人物晤面，而且因为我写这本书的来由，很有意思：一来我那时——1940—1943 年——经济上的确有些困难，有卖稿的必要(我们就是拿《关于女人》的第一篇稿酬，在重庆市上“三六九”点心店吃的一九四〇年的年夜饭的)。二来，这几篇东西不是用“冰心”的笔名来写，我可以“不负责任”，开点玩笑时也可以自由一些。

《关于女人》的再版，是巴金同志拿去交给开明书店的。如今这本书的三版，又是交给巴金的弟弟采臣同志的。这就好象一个孩子，背着大人做了一件利己而不损人的淘气事儿，自己虽然很高兴，很痛快，但也只能对最知心的好朋友，悄悄地说说！

冰　心

1980 年 3.31.

再版自序

我把这本《关于女人》交给开明书店再版，我觉得有写篇自序的必要。

《关于女人》在天地出版社初版，是在三十二年九月。出版以后，就有许多朋友，向我索赠。我的朋友不少，真是有点“穷于应命”！我便向朋辈宣言，我这本书是不送给男朋友的，因为我估计男人对于这本书，一定会感很大的兴趣，我不送，他们也会自己去买了看的。而对于女朋友们，我却是无法推脱！一来因为我素来尊重她们的友情；二来因为这本书本是借着她们的“灵感”，才写得出来。无论从哪一方面说，我都得恭恭敬敬的奉赠，以表示我的谢意。

但第一版《关于女人》，我实在无法送人，错字太多了，而且错得使人啼笑皆非！例如“喜欢过许多女人”，变成“孝敬过许多女人”。“男人在共营生活上……是更偷懒”，变成“……是更愉快”，至于“我”变成“你”，“你”变成“他”，更是指不胜屈。天地社原说是这本书销路很好，出版后不到三个月，便准备再版，我就赶紧将改正本交给他们，此后却杳无消息！虽然在重庆、桂林、昆明……甚至于曲江、西安……的坊间，都有《关于女人》出售，而却仍是“初版”。我答应送给那些女朋友的“再版”，至今不曾出现，连我那几个弟妇，都把我骂得不亦乐乎！

我等不得了，写信到天地社去问，回信说那“初版”五千册，除了雨渍鼠咬之外，还有一二百本没有售出，最后他们引咎自己的“推销不力”，向我道歉。我觉得很惭愧，没有话说。虽然国内各报的“文坛消息”上，都在鼓吹着“关于女人，销路极畅”，而在美国的女朋友，向我索书的时候，还摘录美国的文艺杂志，称誉《关于女人》为：“The Best Seller in Chungking”。

因此，我便把这本小书，改正了交给开明书店，准备把这再版书来偿还我对于女朋友的夙欠。同时我也希望这“再版”再版的时候，我还能再添上几个女人——女人永远是我的最高超圣洁的“灵感”！

三十四年二月之夜，大荒山，灵音山馆。

抄书代序

"……风尘碌碌,一事无成。忽念及当日所有之女子,一一细考较去,觉其行止识见,皆出我之上。我堂堂须眉,诚不若彼裙钗,我愧则有余,悔又无益,大无可如何之日也!当此日欲将以往所赖天恩祖德,锦衣绣袴之时,饫甘餍肥之日,背父母教育之恩,负师友规训之德,以致今日一技无成,半生潦倒之罪,编述一集,以告天下。知我之负罪固多,然闺阁中历历有人,万不可因我之不肖,自护己短,一并使其泯灭也。故当此蓬牖茅椽,绳床瓦灶,未足妨我襟怀;况对着晨风夕月,阶柳庭花,更觉润人笔墨;我虽不学无文,又何妨用假语村言,敷衍出来,亦可使闺阁昭传,复可破一时之闷,醒同人之目,不亦宜乎?……"

——曹雪芹《红楼梦》

我最尊敬体贴她们

以一个男士而写关于女人的题目,似乎总觉有些不大“那个”,人们会想“内容莫不是讥讽吧?”“莫不是单恋吧?”仿佛女人的问题,只应该由女人来谈似的。其实,我以为女人的问题,应该是由男人来谈,因为男人在立场上,可以比较客观,男人的态度,可以比较客气。

在二万万零一个男人之中,我相信我是一个最尊敬体贴女性的男子。认得我的人,且多称誉我是很女性的,因为我有女性种种的优点,如温柔、忍耐、细心等等,这些我都觉得很荣幸。同时我是二万万零一个人之中,最不配谈女人的,因为除了母亲以外,我既无姊妹,又未娶妻。我所认得的只是一些女同学,几个女同事,以及朋友们的妻女姊妹,没有什么深切的了解与认识。但是因为既无姊妹又未娶妻的缘故,谈到女人的时候就特别多。比如说有许多朋友的太太,总是半带好意半开玩笑的说:“×先生,你是将近四十岁的人,做着很好的事,又颇有点名气,为什么还不娶个太太?”这时我总觉得很惶恐,只得讷讷的说:“还没有碰到合适的人……”于是那些太太们说:“您的条件怎么样?请略说一二,我们好替您物色物色。”这时我最窘了,这条件真不容易说出,要归纳你平日的许多标准,许多理想,除非上帝特意为你创造这么一个十全十美的女人。我有一个朋

友,年纪比我还轻,十年以前,就有二十六个择偶的条件。到了十年之末,他只剩了一个条件——“只要是一个女人就行”。结果是一个女人也没有得到。他死了,朋友替他写传记,中有很惨的四个字:“尚未娶妻。”上帝祝福他的灵魂!

我以为男子要谈条件,第一件事就得问问自己是否也具有那些条件。比如我们要求对方“容貌美丽”,就得先去照照镜子,看看自己是不是一个漂亮的男子。我们要求对方“性情温柔”,就得反躬自省,自己是否一个绝不暴躁而又讲理的人。我们从办公室里回来,总希望家里美观清洁,饭菜甘香可口,孩子们安静听话,太太笑脸相迎,嘘寒问暖。万一上面的条件没有具备,我们就会气腾腾的把帽子一摔,棍子一扔,皱起眉头,一语不发。倘若孩子再围上来要糖要饼,太太再来和你谈米又涨价,菜不好买,佣人闹脾气等等……你简直就会头痛,就会发狂,就会破口大骂。骂完,自己跑到一旁,越想越伤心起来——想到今天在办公室里所受的种种的气,想到昨夜因为孩子哭闹,没有睡好,这一家穿的是谁,吃的是谁,你的太太竟不体恤你一点——可是你总根本没有想到孩子没有一个不淘气,佣人没有一个没有问题,米也没有一天不涨价的!你的温柔的太太,整天整夜的在这炼狱中间,怕你不得好睡,办事没有精神,脾气也会变坏,而她自己昨夜则于你蒙眬之中,起来了七八次之多,既怕孩子挨骂,又怕你受委屈。孩子哭是因为肚子痛,肚子痛是因为刘妈给他生水喝。而刘妈则是没有受过近代训练的佣人,跟她怎样说都不会记得。这年头,连个帮工都不容易请,奉承她还来不及,哪还敢说一个“换”字……她也许思前想后,一夜无眠,今早起来,她还得依旧支撑。家长里短的事,女人不管,谁来管呀?她一忙就累,一累就也有气,满心只想望你中午或晚上回来,凡事有你商量,有你安慰。倘若你回来了,看见她的愁眉,看见她的黑眼圈,你说一两句安慰的话,她也许就把旧恨新愁,全付汪洋大海,否则她只有在你的面前或背后,掉下一两滴可怜无告的眼泪。你也许还觉得"女人,除了哭,还会什么!……"

男子的条件中,有时还要对方具有经济生产的能力,这个问题就更大了。我知道有许多职业妇女,在结婚之前,总要百转千回的考虑。倘若她或不幸而被恋爱征服,同时又对事业不忍放弃,那这两股绳索就会把她绞死!我有一对朋友,是夫妇同在一个机关里面办事的(妻的地位似乎比丈夫还高)。每次我到他们家里去拜访,或是他们请我吃饭,假如一切顺利,做丈夫和做妻子的就都兴高采烈。假如饭生菜不熟,或小孩子喧哗吵闹,做丈夫的就会以责备的眼光看太太,太太却以抱歉的眼光来看我们两个,我只好以悲悯的眼光看天。我心里真想同那做丈夫的说:"天哪,她不是和你一样,一天坐八小时的办公室吗?"——我不是说一天坐了八小时的办公室,请客时就应当饭生菜不熟,不过至少他们应当以抱歉的眼光对看,或且同以抱歉的眼光看我。至于把这责任完全推给太太的办法,则连我这一个女性的男子,也看不过了。

谈到职业妇女,在西洋的机器文明世界,兼主妇还不感到十分困难。在中国则一切须靠佣人。人比机器难弄得多,尤其是在散离流亡的抗战时代。我看见过多少从前在沿海口岸,摩登城市,养尊处优的妇女们,现在内地,都是荆钗布裾栉风沐雨的工作,不论家里或办公室里,都能弄得井井有条。对于这种女人,我只有五体投地。假如抗战提高了中国的地位,提高了军人、司机、乃至一般工人的地位,则我以为提得最高的,还是

我们那些忍得住痛耐得住苦的妇女。

话又说得远了,我所要说的关于女人的话,还未说到十分之一。有一个朋友看到了这一段,以为像我这样尊敬体贴女人的人,可以做个模范丈夫,必不难找个合式的太太。连我自己也纳闷,这是怎么说的呢?天晓得!

我的择偶条件

新近搬了一次“家”，居然能从五个人合住的一间屋子，搬到一间卧室，一间书房连客厅的房子里来，虽然仍有一个“屋伴”，在重庆算是不容易的了。这两间屋子，略加布置，尚属雅洁。窗明几净，常有不少的朋友来陪我闲谈；大家总觉得既有这么雅洁的屋子，更应当有个太太了，于是谈锋又转到了择偶的条件。随谈随写，居然也有二十几条，如下：

一　因为我自己是在北方长大的南方人，所以我希望对方不是“北人南相”——此条可以商量。

二　因为我是学文学的，所以希望对方至少能够欣赏文艺。

三　因为我是将近四十岁的人，所以希望对方不在二十五岁以下。

四　因为我自己是个瘦子，所以希望对方不是一个胖子。

五　因为我自己不搽润面油、司丹康，所以希望对方也不浓施脂粉，厚抹口红。

六　因为我自己从未穿过西装，所以希望对方也不穿着洋服——东方女子穿西服，十个有九个半难看！

七　因为我有几个外国朋友，所以希望对方懂得几句外国语言。

八　因为我自己好客，所以希望对方不是一个见了生人说

不出话的女子。

九　因为我很择客，所以希望对方也不招致许多无聊的男女朋友，哼哼洋歌，嚼嚼瓜子，把橘子皮扔得满地。

十　因为我颇有洁癖，所以希望对方也相当的整齐清洁——至少不会翻乱我的书籍，弄脏我的衣冠。

十一　因为我怕香花，所以希望对方不戴白玉兰，不在屋子里插些丁香、真珠梅之类。

十二　因为我喜欢雅淡，所以希望对方不穿浓艳及颜色不调和的衣服，我总忘不了黄莘田先生的两句诗："颜色上伊身便好，带些黯淡大家风。"

十三　我自己曾经享受过很舒服的衣食住行，而在抗战期内，绝口不提从前的幸福！我觉得流离痛苦是该受的。因此，我希望对方不是整天的叹气着说："从前在北平的时候呀，""这仗打到什么时候才完呀，"一类的废话。

十四　因为我喜欢旅行，所以希望对方也不以旅行为苦。

十五　因为我喜欢海，所以我希望对方也爱泅水，不怕海风。

十六　因为我喜欢山居，所以希望对方不怕山居的寂寞。

十七　因为我喜听京戏——虽然并不常去，所以希望对方不把国剧看得一钱不值。

十八　我喜欢看美人，无论是真人或图画，希望对方能够谅解。我只是赞叹而已。倘若她也和我一样，也只爱"看"美男子，我决予以鼓励。

十九　因为我自觉是个"每逢大事有静气"的汉子（看见或摸着个把臭虫时除外，但此不是大事），所以希望对方遇有小惊小怕时，不作电影明星式的捧心高叫。

二十　我对于屋内的挂幅，选择颇严，希望对方不在案侧或床头，挂些低级趣味的裸体画，或明星照片。

二十一　我很喜欢炉中的微火和烛火，以为在柔软的光影中清谈，是最惬心的事，希望对方也能欣赏，至少不至喜欢强烈直射的灯光。

二十二　我喜欢微醺的情境；在微醉后谈话作文，都更觉有兴致。因此，我希望对方不反对人喝"一点"酒。但若甜酒——如杂果酒，喝到两杯以上，白酒五杯以上，黄酒十杯以上，亲爱的，请你阻止我！

二十三　因为我在北方长大，能吃大葱大蒜，所以希望对方虽不与我同嗜，至少也不厌恶这种气味。

二十四　因为我喜听音乐，所以希望对方不在音乐会场内，高声谈笑或睡觉。

二十五　因为我喜欢生物，所以希望对方不反对我养狗或养鸽。

二十六　……

一个朋友把我叫住了。说："你曾笑你那位死去的朋友，提出了二十六个择偶的条件，如今你竟快要打破他的纪录了。"我说我的条件实和他的不同，都是就我已有的本钱来讨代价，并不曾作过分的要求，纵不能抛玉引玉，也还是抛砖引砖，条件再多些谅也无妨。而且我注意的只是嗜好与习惯上的小节，至于她的容貌性情以及经济生产能力等等，我都可以随遇而安，不加苛求的。另一个朋友说，"嗜好习惯太相同了，反无互相吸引之力，生活在一起没有兴趣。而且像你这样的斤斤于小节，只有让你自己再变成为一个女人，来配你自己吧。"天哪，假如我真是个女人，恐怕早已结婚，而且是已有了两三个孩子了！

我的母亲

谈到女人,第一个涌上我的心头的,就是我的母亲,因在我的生命中,她是第一个对我失望的女人。

在我以前,我有两个哥哥,都是生下几天就夭折的,算命的对她说:"太太,你的命里是要先开花后结果的,最好能先生下一个姑娘,庇护以后的少爷。"因此,在她怀我的时候,她总希望是一个女儿。她喜欢头生的是一个姑娘,会帮妈妈看顾弟妹、温柔、体贴、分担忧愁。不料生下我来,又是一个儿子。在合家欢腾之中,母亲只是默然的躺在床上。祖父同我的姑母说:"三嫂真怪,生个儿子还不高兴!"

母亲究竟是母亲,她仍然是不折不扣的爱我,只是常常念道:"你是儿子兼女儿的,你应当有女儿的好处才行。"我生后三天,祖父拿着我的八字去算命。算命的还一口咬定这是女孩的命,叹息着说:"可惜是个女孩子,否则准作翰林。"母亲也常常拿我取笑说:"如今你是一个男子,就应当真作个翰林了。"幸而我是生在科举久废的新时代,否则,以我的才具而论,哪有三元及第荣宗耀祖的把握呢?

在我底下,一连串的又来了三个弟弟,这使母亲更加失望。然而这三个弟弟倒是个个留住了。当她抱怨那个算命的不灵的时候,我们总笑着说,我们是"无花果",不必开花而即累累结实的。

母亲对于我的第二个失望,就是我总不想娶亲。直至去世时为止,她总认为我的一切,都能使她满意,所差的就是我竟没有替她娶回一位,有德有才而又有貌的媳妇。其实,关于这点,我更比她着急,只是时运不济,没有法子。在此情形之下,我只有竭力鼓励我的弟弟们先我而娶,替他们介绍“朋友”,造就机会。结果,我的二弟,在二十一岁大学刚毕业时就结了婚。母亲跟前,居然有了一个温柔贤淑的媳妇,不久又看见了一个孙女的诞生,于是她才相当满足地离开了人世。

如今我的三个弟弟都已结过婚了,他们的小家庭生活,似乎都很快乐。我的三个弟妇,对于我这老兄,也都极其关切与恭敬。只有我的二弟妇常常笑着同我说:“大哥,我们做了你的替死鬼,你看在这兵荒马乱米珠薪桂的年头,我们这五个女孩子怎么办?你要代替我们养一两个才行。”她怜惜的抚摩着那些黑如鸦羽的小头。她哪里舍得给我养呢!那五个女孩子围在我的膝头,一齐抬首的时候,明艳得如同一束朝露下的红玫瑰花。

母亲死去整整十年了。去年父亲又已逝世。我在各地飘泊,依然是个孤身汉子。弟弟们的家,就是我的家,那里有欢笑,有温情,有人照应我的起居饮食,有人给我缝衣服补袜子。我出去的时候,回来总在店里买些糖果,因为我知道在那阑干上,有几个小头伸着望我。去年我刚到重庆,就犯了那不可避免的伤风,头痛得七八天睁不开眼,把一切都忘了。一天早晨,航空公司给我送来一个包裹,是几个小孩子寄来的,其中的小包裹是从各地方送到,在香港集中的。上面有一个卡片,写着:“大伯伯,好些日子不见信了,圣诞节你也许忘了我们,但是我

们没有忘了你!”我的头痛立刻好了,漆黑的床前,似乎竖起了一棵烛光辉煌的圣诞树!

回来再说我的母亲吧。自然,天下的儿子,至少有百分之七十,认为他的母亲乃是世界上最好的母亲。我则以为我的母亲,乃是世界上最好的母亲中最好的一个。不但我如此想,我的许多朋友也如此说。她不但是我的母亲,而且是我的知友。我有许多话不敢同父亲说的,敢同她说;不能对朋友提的,能对她提。她有现代的头脑,稳静公平的接受现代的一切。她热烈的爱着“家”,以为一个美好的家庭,乃是一切幸福和力量的根源。她希望我早点娶亲,目的就在愿意看见我把自己的身心,早点安置在一个温暖快乐的家庭里面。然而,我的至爱的母亲,我现在除了“尚未娶妻”之外,并没有失却了“家”之一切!

我们的家,确是一个安静温暖而又快乐的家。父亲喜欢栽花养狗;母亲则整天除了治家之外,不是看书,就是做活,静悄悄的没有一点声息。学伴们到了我们家里,自然而然的就会低下声来说话。然而她最鼓励我们运动游戏,外院里总有秋千、杠子等等设备。我们学武术,学音乐(除了我以外,弟弟们都有很好的成就)。母亲总是高高兴兴的,接待父亲和我们的朋友。朋友们来了,玩得好,吃得好,总是欢喜满足的回去。却也有人带着眼泪回家,因为他想起了自己死去的母亲,或是他的母亲,同他不曾发生什么情感的关系。

我的父亲是大家庭中的第三个儿子。他的兄弟姊妹很多,多半是不成材的,于是他们的子女的教养,就都堆在父亲的肩上。对于这些,母亲充分的帮了父亲的忙,父亲付与了一份的财力,母亲贴上了全副的精神。我们家里总有七八个孩子同住,放假的时候孩子就更多。母亲以孱弱的身体,来应付支持这一切,无论多忙多乱,微笑没有离开过她的嘴角。我永远忘不了母亲逝世的那晚,她的床侧,昏倒了我的一个身为军人的堂哥哥!

母亲又有知人之明,看到了一个人,就能知道这人的性格。故对于父亲和我们的朋友的选择,她都有极大的帮助。她又有极高的鉴赏力,无论屋内的陈设,园亭的布置,或是衣饰的颜色和式样等,经她一调动,就显得新异不俗。我记得有一位表妹,在赴茶会之前,打扮得花枝招展的,到了我们的家里;母亲把她浑身上下看了一遍,笑说:“元元,你打扮得太和别人一样了。人家抹红嘴唇,你也抹红嘴唇,人家涂红指甲,你也涂红指甲,这岂非反不引起他人的注意?你要懂得‘万朵红莲礼白莲’的道理。”我们都笑了,赞同母亲的意见。表妹立刻在母亲妆台前洗净铅华,换了衣饰出去;后来听说她是那晚茶会中,被人称为最漂亮的一个。

母亲对于政治也极关心。三十年前,我的几个舅舅,都是同盟会的会员,平常传递消息,收发信件,都由母亲出名经手。我还记得在我八岁的时候,一个人雪夜里,帮着母亲把几十本《天讨》,一卷一卷的装在肉松筒里,又用红纸条将筒口封了起来,寄了出去。不久收到各地的来信说:“肉松收到了,到底是家制的,美味无穷。”我说:“那些不是书吗?……”母亲轻轻的捏了我一把,附在我的耳朵上说:“你不要说出去。”

辛亥革命时,我们正在上海,住在租界旅馆里。我的职务,就是天天清早在门口等报,母亲看完了报就给我们讲。她还将她所仅有的一点首饰,换成洋钱,捐款劳军。我那时才十岁,也将我所仅有的十块压岁钱捐了出去,是我自己走到申报馆去交付的。那两纸收条,我曾珍重的藏着,抗战起来以后不知丢在

哪里了。

“五四”以后，她对新文化运动又感了兴趣。她看书看报，不让时代把她丢下。她不反对自由恋爱，但也注重爱情的专一。我的一个女同学，同人“私奔”了，当她的母亲走到我们家里“垂涕而道”的时候，父亲还很气愤，母亲却不做声。客人去后，她说：“私奔也不要紧，本来仪式算不了什么，只要他们始终如一就行。”

诸如此类，她的一言一动，成了她的儿子们的南针。她对我的弟弟们的择偶，从不直接说什么话，总说：“只要你们喜爱的，妈妈也就喜爱。”但是我们的性格品味已经造成了，妈妈不喜爱的，我们也决不会喜爱。

她已死去十年了。抗战期间，母亲若还健在，我不知道她将做些什么事情，但我至少还能看见她那永远微笑的面容，她那沉静温柔的态度，她将以卷《天讨》的手，卷起她的每一个儿子的畏惧懦弱的心！

她是一个典型的贤妻良母，至少母亲对于我们解释贤妻良母的时候，她以为贤妻良母，应该是丈夫和子女的匡护者。

关于妇女运动的各种标语，我都同意，只有看到或听到“打倒贤妻良母”的口号时，我总觉得有点逆耳刺眼。当然，人们心目中“妻”与“母”是不同的，观念亦因之而异。我希望她们所要打倒的，是一些怯弱依赖的软体动物，而不是像我的母亲那样的女人。

我 的 教 师

第二个女人,我永远忘不掉的,是 T 女士,我的教师。

我从小住在偏僻的乡村里,没有机会进小学,所以只在家塾里读书,国文读得很多,历史地理也还将就得过,吟诗作文都学会了,且还能写一两千字的文章。只是算术很落后,翻来覆去,只做到加减乘除,因为塾师自己的算学程度,也只到此为止。

十二岁到了北平,我居然考上了一个中学,因为考试的时候,校长只出一个"学然后知不足"的论说题目。这题目是我在家塾里做过的,当时下笔千言,一挥而就,校长先生大为惊奇赞赏,一下子便让我和中学一年生同班上课。上课两星期以后,别的功课我都能应付裕如,作文还升了一班,只是算术把我难坏了。中学的算术是从代数做起的,我的算学底子太坏,脚跟站不牢,昏头眩脑,踏着云雾似的上课,T 女士便在这云雾之中,飘进了我的生命中来。

她是我们的代数和历史教员,那时也不过二十多岁吧。"螓首蛾眉,齿如编贝"这八个字,就恰恰的可以形容她。她是北方人,皮肤很白嫩,身材很窈窕,又很容易红脸,难为情或是生气,就立刻连耳带颈都红了起来,我最怕的是她红脸的时候。

同学中敬爱她的,当然不止我一人,因为她是我们的女教师中间最美丽,最和平,最善诱的一位。她的态度,严肃而又和

蔼,讲述时简单而又清晰。她善用譬喻;我们每每因着譬喻的有趣,而连带的牢记了原理。

第一个月考,我的历史得九十九分,而代数却只得了五十二分,不及格!当我下堂自己躲在屋角流泪的时候,觉得有只温暖的手,抚着我的肩膀,抬头却见 T 女士挟着课本,站在我的身旁。我赶紧擦了眼泪,站了起来。她温和的问我道:“你为什么哭?难道是我的分数打错了?”我说:“不是的,我是气我自己的数学底子太差。你出的十道题目,我只明白一半。”她就软款温柔的坐下,仔细问我的过去。知道了我的家塾教育以后,她就恳切的对我说:“这不能怪你。你中间跳过了一大段!我看你还聪明:补习一定不难,以后你每天晚一点回家,我替你补习算术吧。”

这当然是她对我格外的爱护,因为算术不曾学过的,很有退班的可能;而且她很忙,每天匀出一个钟头给我,是额外的恩惠。我当时连忙答允,又再三的道谢。回家去同母亲一说,母亲尤其感激,又仔细的询问 T 女士的一切,她觉得 T 女士是一位很好的教师。

从此我每天下课后,就到她的办公室,补习一个钟头的算术,把高小三年的课本,在半年以内赶完了。T 女士逢人便称道我的神速聪明。但她不知道我每天回家以后,用功直到半夜,因着习题的烦难,我曾流过许多焦急的眼泪,在泪眼模糊之中,灯影下往往涌现着 T 女士美丽慈和的脸,我就仿佛得了灵感似的,擦去眼泪,又赶紧往下做。那时我住在母亲的套间里,冬天的夜里,烧热了砖炕,点起一盏煤油灯,盘着两腿坐在炕桌边上,读书习算。到了夜深,母亲往往叫人送冰糖葫芦,或是赛梨的萝卜,来给我消夜。直到现在,每逢看见孩子做算术,我就会看见T女士的笑脸，脚下觉得热烘烘的，嘴里也充满了萝卜的清甜气味！

算术补习完毕，一切难题，迎刃而解，代数同几何，我全是不费功夫的做着；我成了同学们崇拜的中心，有什么难题，他们都来请教我。因着T女士的关系，我对于算学真是心神贯注，竟有几个困难的习题，是在夜中苦想，梦里做出来的。我补完算术以后，母亲觉得对于T女士应有一点表示，她自己跑到福隆公司，买了一件很贵重的衣料，叫我送去。T女士却把礼物退了回来，她对我母亲说："我不是常替学生补习的，我不能要报酬。我因为觉得令郎别样功课都很好，只有算学差些，退一班未免太委屈他。他这样的赶，没有赶出毛病来，我已经是很高兴的了。"母亲不敢勉强她，只得作罢。有一天我在东安市场，碰见T女士也在那里买东西。看见摊上挂着的挖空的红萝卜里面种着新麦秧，她不住地夸赞那东西的巧雅，颜色的鲜明，可是因为手里东西太多，不能再拿，割爱了。等她走后，我不曾还价，赶紧买了一只萝卜，挑在手里回家。第二天一早又挑着那只红萝卜，按着狂跳的心，到她办公室去叩门。她正预备上课，开门看见了我和我的礼物，不觉嫣然的笑了，立刻接了过去，挂在灯上，一面说："谢谢你，你真是细心。"我红着脸出来，三步两跳跑到课室里，嘴里不自觉的唱着歌，那一整天我颇觉得有些飘飘然之感。

因着补习算术，我和她对面坐的时候很多，我做着算题，她也低头改卷子。在我抬头凝思的时候，往往注意到她的如云的头发，雪白的脖子，很长的低垂的睫毛，和穿在她身上稳称大方的灰布衫，青裙子，心里渐渐生了说不出的敬慕和爱恋。在我偷看她的时候，有时她的眼光正和我的相值，出神的露着润白

的牙齿向我一笑，我就要红起脸，低下头，心里乱半天，又喜欢，又难过，自己莫名其妙。

从校长到同学，没有一个愿意听到有人向T女士求婚的消息。校长固不愿意失去一位好同事，我们也不愿意失去一位好教师，同时我们还有一种私意，以为世界上根本就没有一个男子，配作T女士的丈夫，然而向T女士求婚的男子，那时总在十个以上，有的是我们的男教师，有的是校外的人士。我们对于T女士的追求者，一律的取一种讥笑鄙夷的态度。对于男教师们，我们不敢怎么样，只在背地里替他们起上种种的绰号，如"癞蛤蟆"、"双料癞蛤蟆"之类。对于校外的人士，我们的胆子就大一些，看见他们坐在会议室里或是在校门口徘徊，我们总是大声咳嗽，或是从他们背后投些很小的石子，他们回头看时，我们就三五成群的哄哄笑着，昂然走过。

T女士自己对于追求者的态度，总是很庄重很大方。对于讨厌一点的人，就在他们的情书上，打红叉子退了回去。对于不大讨厌的，她也不取积极的态度，仿佛对于婚姻问题不感着兴趣。她很孝，因为没有弟兄，她便和她的父亲守在一起，下课后常常看见她扶着老人，出来散步，白发红颜，相映如画。

在这里，我要供招一件很可笑的事实，虽然在当时并不可笑。那时我们在圣经班里，正读着《所罗门雅歌》，我便模仿雅歌的格调，写了些赞美T女士的句子，在英文练习簿的后面，一页一页的写下叠起。积了有十几篇，既不敢给人看，又不忍毁去。那时我们都用很厚的牛皮纸包书面，我便把这十几篇尊贵的作品，折存在两层书皮之间。有一天被一位同学翻了出来，当众诵读，大家都以为我是对于隔壁女校的女生，发生了恋爱，大家哄笑。我又不便说出实话，只好涨红着脸，赶过去抢来撕掉。从此连雅歌也不敢写了，那年我是十五岁。

我从中学毕业的那一年，T 女士也离开了那学校，到别地方做事去了，但我们仍常有见面的机会。每次看见我，她总有勉励安慰的话，也常有些事要我帮忙，如翻译些短篇文字之类，我总是谨慎将事，宁可将大学里功课挪后，不肯耽误她的事情。

她做着很好的事业，很大的事业，至死未结婚。六年以前，以牙疾死于上海，追悼哀殓她的，有几万人。我是在从波士顿到纽约的火车上，得到了这个消息，车窗外飞掠过去的一大片的枫林秋叶，尽消失了艳红的颜色，我忽然流下泪来，这是母亲死后第一次的流泪。

叫我老头子的弟妇

第三个女人,我要写的,本是我的奶娘。刚要下笔,编辑先生忽然来了一封信,特烦我写"我的弟妇"。这当然可以,只是我有三个弟妇,个个都好,叫我写哪一个呢？把每个人都写一点吧,省得她们说我偏心!

我常对我的父亲说:"别人家走的都是儿子的运,我们家走的却是儿媳妇的运,您看您这三位少奶奶,看着叫人心里多么痛快!"父亲一面笑眯眯的看着她们,一面说:"你为什么不也替我找一位痛快的少奶奶来呢?"于是我的弟弟和弟妇们都笑着看我。我说:"我也看不出我是哪点儿不如他们,然而我混了这些年,竟混不着一位太太。"弟弟们就都得意的笑着说:"没有梧桐树,招不了凤凰来。只因你不是一棵梧桐树,所以你得不着一只凤凰!"这也许是事实,我只好忍气吞声地接受了他们的讥诮。那是廿六年六月,正值三弟新婚后到北平省亲,人口齐全,他提议照一张合家欢的相片,却被我严词拒绝了。我不能看他们得意忘形的样子,更不甘看相片上我自己旁边没有一个女人,这提议就此作罢。时至今日,我颇悔恨,因为不到一个月,芦沟桥事变起,我们都星散了。父亲死去,弟弟们天南地北,"海内风尘诸弟隔,天涯涕泪一身遥"是我常诵的句子,而他们的集合相片,我竟没有一张!

我的二弟妇，原是我的表妹，我的舅舅的女儿，大排行第六，只比我的二弟小一个月。我看着他们长大，真是青梅竹马，两小无猜。在他们的回忆里，有许多甜蜜天真的故事，倘若他们肯把一切事情都告诉我，一定可以写一本很好的小说。我曾向他们提议，他们笑说："偏不告诉你，什么话到你嘴里，都改了样，我们不能让你编排！"

他们在七八岁上，便由父母之命定了婚；定婚以后，舅母以为未婚男女应当避嫌，他们的踪迹便疏远了。然而我们同舅家隔院而居，早晚出入，总看得见，岁时节序，家宴席上，也不能避免。他们那种忍笑相视的神情，我都看在眼里，我只背地里同二弟取笑，从来不在大人面前提过一句，恐怕舅母又来干涉，太煞风景。

有一年，正是二弟在唐山读书，六妹在天津上学，一个春天的早晨，我忽然接到"男士先生亲启"的一封信，是二弟发的，赶紧拆来一看，里面说："大哥，我想和六妹通信，……已经去了三封信，但她未曾复我，请你帮忙疏通一下，感谢不尽。"我笑了，这两个十五岁的孩子，春天来到他们的心里了！我拿着这封信，先去给母亲看，母亲只笑了一笑，没说什么。我知道最重要的关键还是舅母，于是我又去看舅母。寒暄以后，轻闲的提起，说二弟在校有时感到寂寞，难为他小小的年纪，孤身在外，我们都常给他写信，希望舅母和六妹也常和他通信，给他一点安慰和鼓励。舅母迟疑了一下，正要说话，我连忙说："母亲已经同意了。这个年头，不比从前，您若是愿意他们小夫妻将来和好，现在应当让他们多多交换意见，联络感情。他俩都是很懂事有分寸的孩子，一切有我来写包票。"舅母思索了一会，笑着叹口气说："这是哪儿来的事！也罢，横竖一切有你做哥哥的负责。"

我也不知道我负的是什么责任,但这交涉总算办得成功,我便一面报告了母亲,一面分函他们两个,说:"通信吧,一切障碍都扫除了,没事别再来麻烦我!"

他们廿一岁的那年,我从国外回来,二弟已从大学里毕业,做着很好的事,拉得一手的好提琴,身材比我还高,翩翩年少,相形之下,我觉得自己真是老气横秋了。六妹也长大了许多,俨然是一个大姑娘了。在接风的家宴席上,她也和二弟同席,谈笑自如。夜阑人散,父母和我亲热的谈着,说到二弟和六妹的感情,日有进步,虽不像西洋情人之形影相随,在相当的矜持之下,他们是互相体贴,互相勉励;母亲有病的时候,六妹是常在我们家里,和弟弟们一同侍奉汤药,也能替母亲料理一点家事。谈到这里,母亲就说:"真的,你自己的终身大事怎样了?今年腊月是你父亲的六十大寿,我总希望你能带一个媳妇回来,替我做做主人。如今你一点动静都没有,二弟明夏又要出国,三弟四弟还小,我几时才做得上婆婆?"我默然一会,笑着说:"这种事情着急不来。您要做个婆婆却容易;二弟尽可于结婚之后再出国。刚才我看见六妹在这里的情形,俨然是个很能干的小主妇,照说廿一岁了也不算小了,这事还得我同舅母去说。"母亲仿佛没有想到似的,回头笑对父亲说:"这倒也是一个办法。"

第二天同二弟提起,他笑着没有异议。过几天同舅母提起,舅母说:"我倒是无所谓,不过六妹还有一年才能大学毕业,你问她自己愿意不愿意。"我笑着去找六妹。她正在廊下织活,看见我走来,便拉一张凳子,让我坐下。我说:"六妹,有一件事和你商量,请你务必帮一下忙。"她睁着大眼看着我。我说:"今年父亲大寿的日子,母亲要一个人帮她作主人,她要我结婚,你说我应当不应当听话?"她高兴得站了起来,"你？结婚？这事当然应当听话。几时结婚？对方是谁？要我帮什么忙?"我笑说:"大前提已经定了,你自己说的,这事当然应当听话。我不知道我在什么时候才可以结婚,因为我还没有对象,我已把这责任推在二弟身上了,我请你帮他的忙。"她猛然明白了过来,红着脸回头就走,嘴里说:"你总是爱开玩笑!"我拦住了她,正色说:"我不是同你开玩笑,这事母亲舅母和二弟都同意了,只等候你的意见。"她站住了,也严肃了起来,说:"二哥明年不是要出国吗?"我说:"这事我们也讨论过,正因为他要出国,我又不能常在家,而母亲身边又必须有一个得力的人,所以只好委屈你一下。"她低头思索了一会,脸上渐有笑容。我知道这个交涉又办成功了,便说:"好了,一切由我去备办,你只预备作新娘子吧!"她啐了一口,跑进屋去。舅母却走了出来,笑说:"你这大伯子老没正经——不过只有三四个月的工夫了,我们这些人老了,没有用,一切都拜托你了。"

父亲生日的那天,早晨下了一场大雪,我从西郊赶进城来。当天,他们在欧美同学会举行婚礼,新娘明艳得如同中秋的月!吃完喜酒,闹哄哄的回到家里来,摆上寿筵。拜完寿,前辈客人散了大半,只有二弟一班朋友,一定要闹新房,父母亲不好拦阻,三弟四弟乐得看热闹,大家一哄而进。我有点乏了,自己回东屋去吸烟休息。我那三间屋子是周末养静之所,收拾得相当整齐,一色的藤床竹椅,花架上供养着两盆腊梅,书案上还有水仙,掀起帘来,暖香扑面。我坐了一会,翻起书本来看,正神往于万里外旧游之地,猛抬头看钟,已到十二时半,南屋新房里还是人声鼎沸。我走进去一看,原来新房正闹到最热烈的阶段,他们请新娘做的事情,新娘都一一遵从了,而他们还不满意,最

后还要求新娘向大家一笑,表示逐客的意思,大家才肯散去。新娘大概是乏了,也许是生气了,只是绷着脸不肯笑,两下里僵着,二弟也不好说什么,只是没主意的笑着四顾。我赶紧找支铅笔,写了个纸条,叫伴娘偷偷的送了过去,上面是:“六妹,请你笑一笑,让这群小土匪下了台,我把他们赶到我屋里去!”忙乱中新娘看了纸条,在人丛中向我点头一笑,大家哄笑了起来,认为满意。我就趁势把他们都让到我的书室里。那夜,我的书室是空前的凌乱,这群“小土匪”在那里喝酒、唱歌、吃东西、打纸牌,直到天明。

不到几天,新娘子就喧宾夺主,事无巨细,都接收了过去,母亲高高在上,无为而治,脸上常充满着“做婆婆”的笑容。我每周末从西郊回来,做客似的,受尽了小主妇的招待。她生活在我们中间,仿佛是从开天辟地就在我们家里似的,那种自然,那种合适。第二年夏天,二弟出国,我和三四弟教书的教书,读书的读书,都不能常在左右,只有她是父母亲朝夕的慰安。

十几年过去了,她如今已是五个孩子的母亲,不过对于“大哥”,她还喜欢开点玩笑,例如:她近来不叫我“大哥”,而叫我“老头子”了!

请我自己想法子的弟妇

三弟和我很有点相像,长的相像,性情也相像,我们最谈得来。我在北平西郊某大学教书的时候,他正在那里读书,课余,我们常常同到野外去散步谈心。他对于女人的兴趣,也像我似的,适可而止,很少作进一步的打算。所以直到他大学毕业,出了国,又回来在工厂里做事,还没有一个情人。

六年以前,我第二次出国,道经南京,小驻一星期,三弟天天从隔江工厂里过来陪我游玩。有一个星期日,一位外国朋友自驾汽车,带我们去看大石碑,并在那里野餐。原定是下午四点回来,汽车中途抛了锚,直到六点才进得城门。三弟在车上就非常烦躁不安,到了我的住处,他匆匆的洗了澡,换了一身很漂亮的西装,匆匆的又出去。我那时正忙,也不曾追问。直到第二年的春天,我在巴黎,忽然得他一封信,说:"大哥,告诉你一件事,我已经订了婚。不久要结婚了。……记得我们去年逛大石碑的一天吧,就在那夜,我和她初次会面。……我们准备六月中旬结婚,婚后就北上。你若是在六月底从西伯利亚回来,我们可在北平车站接你。……巴黎如何?有好消息否?好了,北平见!"我仔细的看了他信中附来的两人合照的相片,匆匆的写了一张卡片,说:"我妒羡你,居然也有了心灵的归宿!巴黎寂寞得很,和北平一样,还是你替我想想法子吧。"我又匆

匆的披上大衣,直走到一家大百货商店,买了一套银器,将卡片放在匣里,寄回南京去。

在北平车站上,家人丛中,看见了我的三弟妇,极其亲热的和我握手,仿佛是很熟的朋友,她和我并肩走着。回头看见大家的笑容,三弟尤其高兴,我紧紧的捏着他的手,低声说:"有你的!"

他们先在城里请过了客,便到西郊来休息。我们那座楼上,住的都是单身的男教授,"女宾止步";我便介绍他们到我的朋友×家里去住。×夫妇到牯岭避暑去了,那房子空着,和我们相隔只一箭之遥。他们天天走过来吃饭,饭后我便送他们到西山去玩。三弟妇常说:"大哥,你和我们一起去吧。"我摇头说:"这些都是我玩腻了的地方,怪热的,我不想去。而且我也不是一个傻子!"三弟就笑说:"别理他,他越老越怪。我们自己走吧!"

逛够了西山,三弟就常常说他肚子不好,拒绝一切的应酬,天晓得他是真病假病——我只好以病人待他,每日三餐,叫厨子烤点面包,煮点稀饭,送了过去。他总是躺在客厅沙发上,听三弟妇弹琴。我没事时也过去坐坐,冷眼看他们两个,倒是合适得很,都很稳静,很纯洁,喜欢谈理想,谈宗教,以为世界上确有绝对的真、善、美。虽然也有新婚时代之爱娇与偎倚,而言谈举止之间,总是庄肃的时候居多,我觉得很喜欢他们。

有一次,三弟妇谈起他们的新家庭,一切的设备,都尽量的用国货,因而谈到北平仁立公司的国货地毯,她认为材料很好,花样也颇精致,那时我有的是钱,便说要去买一两张送给他们。我们定好了日子,一同去挑选。他们先进城去陪父亲,我过一两天再去。我还记得,那是芦沟桥事变之前一天,我一早进城去,到了家里,看见一切乱哄哄的,二弟和二弟妇正帮忙这一对新夫妇收拾行李,小孩子们拉着新娘子的衣服,父亲捧着水烟袋,愁眉不展的。原来正阳门车站站长——是我们的亲戚——早上打电话来,说外面风声不稳,平浦路随时有切断的可能,劝他们两个赶紧走,并且已代定了房间。我愣了一会,便说:"有机会走还是先走好,你的事情在南京,不便长在北方逗留,明年再来玩吧。"我立刻叫了一部汽车,送他们到车站,我把预备买地毯的一卷钞票,塞在三弟妇的皮包里,看着他们挤上了火车,火车又蠕蠕的离开了车站,心里如同做了一场乱梦。

他们到了南京,在工厂的防空洞里,过了新婚后的几个月。此后又随军撤退,溯江而上,两个人只带一只小皮箱。我送给他们的一套银器,也随首都沦陷了,地毯幸亏未买!而每封他们给我的信,总是很稳定,很满足,很乐观,种种的辛苦和流离,都以诙谐的笔意出之。友人来信,提到三弟和他的太太在内地的生活,都说看不出三弟妇那么一个娇女儿,竟会那样的劳作。他们在工厂旁边租到一间草房,这一间草房包括了一切的居室。炎暑的天气中,三弟妇在斗室里煮饭洗衣服,汗流如雨,嘴里还能唱歌。人家劝她省点力气,不必唱了,她笑说:"多出一点气,可以少出一点汗。"这才是伟大的中华儿女的精神,我向她脱帽!

他们新近得了一个儿子,我写信去道贺,并且说:"你们这个孩子应当过继给我,我是长兄!"他们回信说:"别妄想了,你要儿子,自己去想法子吧!"他们以为我自己就没有法子了。"好,走着瞧吧!"

使我心疼头痛的弟妇

提到四弟和四弟妇,真使我又心疼,又头痛。这一对孩子给我不少的麻烦,也给我最大的快乐。四弟是我们四个兄弟中最神经质的一个,善怀、多感、急躁、好动。因为他最小,便养得很任性,很娇惯。虽然如此,他对于父母和哥哥的话总是听从的,对我更是无话不说。我教书的时候,他还是在中学。他喜欢养生物,如金鱼、鸽子、蟋蟀之类,每种必要养满一百零八只,给它们取上梁山泊好汉的绰号。例如他的两只最好勇斗狠的蟋蟀,养在最讲究的瓦罐里的,便是"豹子头林冲"和"行者武松"。他料到父亲不肯多给他钱买生物的时候,便来跟我要钱;定要磨到我答允了为止。

他的恋爱的对象是 H,我们远亲家里的一个小姑娘。他们是同日生的,她只小四弟一岁。那几年我们住在上海,我和三弟四弟,每逢年暑假必回家省亲。H 的家也在上海,她的父亲认为北平的中学比上海的好,就托我送她入北平的女子中学,年暑假必结伴同行。我们都喜欢海行,又都不晕船,在船上早晚都在舱面散步、游戏。四弟就在那时同她熟识了起来。我只觉得他们很和气,决不想到别的。

过了半年,四弟忽然沉默起来,说话总带一点忧悒,功课上也不用心。他的教师多半是我的同学,有的便来告诉我说:"你们老四近来糊涂得很,莫不是有病吧?”我得到这消息,便特地跑进城去,到他校里,发见他没有去上课,躺在宿舍床上,哼哼唧唧的念《花间集》。问他怎么了,他说是头痛。看他的确是瘦了,又说不出病源。我以为是营养不足,便给他买一点鱼肝油,和罐头牛奶之类,叫他按时服用,自已又很忧虑的回来。

不久就是春假了,我约三四弟和H同游玉泉山。我发现四弟和H中间仿佛有点“什么”,笑得那么羞涩,谈话也不自然。例如上台阶的时候,若是我或三弟搀H,她就很客气的道谢;四弟搀她的时候,她必定脸红,有时竟摔开手。坐在泉边吃茶闲谈的时候,我和三弟问起四弟的身体,四弟叹息着说些悲观的话,而且常常偷眼看H。H却红着脸,望着别处,仿佛没有听见似的。这与她平常活泼客气的态度大不相同,我心里就明白了一大半。从玉泉山回来,送H走后,我便细细的盘问四弟,他始而吞吐支吾,继而坦白的承认他在热爱着H,求我帮忙。我正色的对他说:“恋爱不是一件游戏,你年纪太小,还不懂得什么叫做恋爱。再说,H是个极高尚极要强的姑娘,你因着爱她,而致荒废学业,不图上进,这真是缘木求鱼,毫无用处!”四弟默然,晚风中我送他回校,路上我们都不大说话。

四弟功课略有进步,而身体却更坏了。我忽然想起叫他停学一年,一来叫他离H远点,可有时间思索;二来他在母亲身旁,可以休息得好。因此便写一封长信报告父母,只说老四身体不大好,送他回去休息一年,一面匆匆的把他送走。

暑假回家去,看他果然壮健了一些。有一天,母亲背地和我说:“老四和H仿佛很好,这些日子常常通信。”这却有点出我意外,我总以为他是在单恋着!于是我便把过去一切都对母亲说了,母亲很高兴,说:“H是我们亲戚中最好的姑娘,她能

看上老四,是老四的福气。”我说:“老四也得自己争气才行,否则岂不辱没了人家的姑娘!”母亲怫然说:“我们老四也没有什么太不好处!”我也只好笑了一笑。

那时英国利物浦一个海上学校,正招航海学生,父亲可以保送一名,回家来在饭桌上偶然谈起,四弟非常兴奋,便想要去。父亲说:“航海课程难得很,工作也极辛苦,去年送去三个学生,有两个跑了回来,我不是舍不得你去,是怕你吃不了苦,中途辍学,丢我的脸。”母亲也没有言语。饭后四弟拉着三弟到我屋里来,要我替他向父亲请求,准他到英国去。我说:“父亲说的很明白,不是舍不得你。我担保替你去说,你也得担保不中途辍学。”四弟很难过地说:“只要你们大家都信任我,同时H也不当我作一个颓废的人,我就有这一股勇气。我和你们本是同父一母生的,我相信我若努力,也决不会太落后!”我看他说得坚决可怜,便和三弟商量,一面在父亲面前替他说项,一面找个机会和H谈话,说:“四弟要出国去了,他年纪小,工作烦难,据说他憋下这一股横劲,为的是你。假如你能爱他,就请予以鼓励,假如你没有爱他的可能,请你明白告诉他,好让他死心离去。”H红着脸没有回答,我也不便追问,只好算了。然而四弟是很高兴,很有勇气地走的,我相信他已得了鼓励了。

爱情真是一件奇怪的东西,四弟到了船上,竟变了一个人,刻苦、耐劳、活泼、勇敢。他的学伴,除了英国人之外,还有北欧的挪威、丹麦等国的孩子,个个都是魁梧慓悍,粗鲁爽直,他在这群玩童中间混了五年,走遍了世界上的海口,历尽了海上的风波。五年之末,他带着满面的风尘,满身的筋骨,满心的喜乐和一张荣誉毕业证书回来。

这几年中,H也入了大学,做了我的学生,见面的机会很多。我常常暗地夸奖四弟的眼光不错,他挑恋爱的对手,也和他平时挑衣食住行的对象一样,那么高贵精致。H是我眼中所看到的最好的小姑娘,稳静大方,温柔活泼,在校里家中,都做了她周围人们爱慕的对象,这一点是母亲认为万分满意的。五年分别之中,她和四弟也有过几次吵架,几次误会,每次出了事故,四弟必立刻飞函给我,托我解围。我也不便十分劝说,常常只取中立严正的态度。情人的吵架是不会长久的,撒过了娇,流过了眼泪,旁人还在着急的时候,他们自己却早已是没事人了。经过了几次风波,我也学了乖,无论情势如何紧张,我总不放在心上。只有一次,H有大半年不回四弟的信,我问他也问不出理由,同时每星期得到四弟的万言书,贴着种种不同的邮票,走遍天涯给我写些人生无味的话,似乎有投海的趋势,那时我倒有点恐慌!

四弟回国来,到北平家里不到一个钟头,就到西郊来找我,在我那里又不到一个钟头,就到女生宿舍去找H,从此这一对小情人,常常在我客厅里谈话。在四弟到上海去就事的前一天,我们三个人从城里坐小汽车回来,刚到城外,汽车抛了锚,在司机下车修理机件之顷,他们忽然一个人拉着我的一只手,告诉我,他们已经订婚了。这似乎是必然的事,然而我当时也有无限的欢悦。

第二年暑假,H毕业于研究院,四弟北上道贺,就在北平结婚。三弟刚从美国回来,正赶上做了伴郎。他们在父亲那里住了几天,就又回到上海去。我同三弟到车站送行,看火车开出多远,他们还在车窗里挥手。出了车站,我们信步行来,进入中原公司小吃部,脱帽坐下,茶房过来,笑问:"两位先生要冰淇淋吧?"我似乎觉得很凉快,就说:"来两碗热汤面吧。"吃完了

面，我们又到欧美同学会，赴表妹元元订婚的跳舞茶会。在三弟同许多漂亮女郎跳舞的时候，我却走到图书室，拿起一张信纸来，给这一对新夫妇写了一封信，我说："阿H同四弟，你们走后，老三和我感到无限的寂寞，心里一凉，天气也不热了。我们是道地中国人，在中原小吃部没吃冰淇淋，却吃了两碗热汤面！"

五六年来，他们小巧精致的家，做了我的行宫，南下北上，或是夏天避暑，总在他们那里小驻。白天各人做各人的事，晚上常是点起蜡烛来听无线电音乐。有时他们也在烛影中撒娇打架，向大哥诉苦，更有时在餐馆屋顶花园，介绍些年轻女友，来同大哥认识。这些事也很有趣，在我冷静严肃的生活之中，是个很温柔的变换。

上星期又得他们一封信说："我们的船全被英国政府征用了，从此不能开着小炮，追击日本的走私船只，如何可惜！但是，老头子，我们也许要调到重庆来，你头痛不头痛？"

我真的头痛了，但这头痛不是急出来的！

我的奶娘

我的奶娘也是我常常怀念的一个女人,一想到她,我童年时代最亲切的琐事,都活跃到眼前来了。

奶娘是我们故乡的乡下人,大脚,圆脸,一对笑眼(一笑眼睛便闭成两道缝),皮肤微黑,鼻子很扁。记得我小的时候很胖,人家说我长的像奶娘,我已觉得那不是句恭维的话。母亲生我之后,病了一场,没有乳水,祖父很着急的四处寻找奶妈,试了几个,都不合式,最后她来了,据说是和她的婆婆怄气出来的,她新死了一个三个月的女儿,乳汁很好。祖父说我一到她的怀里就笑,吃了奶便安稳睡着。祖父很欢喜说:“胡嫂,你住下吧,荣官和你有缘。”她也就很高兴的住下了。

世上叫我“荣官”的只有两个人,一个是我的祖父,一个便是我的奶娘。我总记得她说:“荣官呀,你要好好读书,大了中举人,中进士,作大官,挣大钱,娶个好媳妇,儿孙满堂,那时你别忘了你是吃了谁的奶长大的!”她说这话的时候,我总是在玩着,觉得她粗糙的手,摸在我脖子上,怪解痒的,她一双笑眼看着我,我便满口答允了。如今回想,除了我还没有忘记“是吃了谁的奶长大的”之外,既未作大官,又未挣大钱,至于“娶个好媳妇”这一段,更恐怕是下辈子的事了!

我们一家人,除了佣人之外,都欢喜她,祖父因为宠我,更

是宠她。奶娘一定要吃好的,为的是使乳水充足;要穿新的,为的是要干净。父亲不常回来,回来时看见我肥胖有趣,也觉得这奶妈不错。母亲对谁都好,对她更是格外的宽厚。奶娘常和我说:“你妈妈是个菩萨,做好人没有错处,修了个好丈夫,好儿子。就是一样,这班下人都让她惯坏了,个个作恶营私,这些没良心的人,老天爷总有一天睁天眼!”

那时我母亲主持一个大家庭,上下有三十多口,奶娘既以半主自居,又非常的爱护我母亲,便成了一般婢仆所憎畏的人。她常常拿着秤,到厨房里去称厨师父买的菜和肉,夜里拍我睡了以后,就出去巡视灯火,察看门户。母亲常常婉告她说:“你只看管荣官好了,这些事用不着你操心,何苦来叫人家讨厌你。”她起先也只笑笑,说多了就发急。记得有一次,她哭了,说:“这些还不是都为你!你是一位菩萨,连高声说话都没说过,眼看这一场家私都让人搬空了,我看不过,才来帮你一点忙,你还怪我。”她一边数落,一边擦眼泪。母亲反而笑了,不说什么。父亲忍着笑,正色说:“我们知道你是好心,不过你和太太说话,不必这样发急,‘你’呀‘我’的,没了规矩!”我只以为她是同我母亲拌嘴,便在后面使劲的捶她的腿,她回头看看,一把拉起我来,背着就走。

说也奇怪,我的抗日思想,还是我的奶娘给培养起来的。大约是在八九岁的时候,有一位堂哥哥带我出去逛街,看见一家日本的御料理,他说要请我吃“鸡素烧”,我欣然答应。脱鞋进门,地板光滑,我们两人拉着手溜走,我已是很高兴。等到吃饭的时候,我和堂哥对跪在矮几的两边,上下首跪着两个日本侍女,搽着满脸满脖子的怪粉,梳着高高的髻,油香逼人。她们手忙脚乱,烧鸡调味,殷勤劝进,还不住的和我们说笑。吃完饭回来，我觉得印象很深，一进门便一五一十的告诉了我的奶娘。她素来是爱听我的游玩报告的，这次却睁大了眼睛，沉着脸，说："你哥哥就不是好人，单拉你往那些地方跑！下次再去，我就告诉你的父亲打你！"我吓得不敢再说。过了许多日子，偶然同母亲提起，母亲倒不觉得这是一件坏事，还向奶娘解释，说："侄少爷不是一个荒唐人，他带荣官去的地方是日本饭馆子；日本的规矩，是侍女和客人坐在一起的。"奶娘扭过头去说："这班不要脸的东西！太太，您大门不出，二门不迈的，哪里知道这些事呀！告诉您听吧，东洋人就没有一个好的：开馆子的、开洋行的、卖仁丹的，没有一个安着好心，连他们的领事都是他们一伙，而且就是贼头。他们的饭馆侍女，就是窑姐，客人去吃一次，下次还要去。洋行里卖胃药，一吃就上瘾。卖仁丹的，就是眼线，往常到我们村里，一次、两次、三次、头一次画下了图，第二次再来察看，第三次就竖起了仁丹的大板牌子。他们画图的时候，有人在后面偷偷看过，哪地方有树，哪地方有井……都记得清清楚楚，您记着我的话，将来我们这里，要没有东洋人造反，您怎样罚我都行！"父亲在旁边听着，连连点头，说："她这话有道理，我们将来一定还要吃日本人的亏。"奶娘因为父亲赞成她，更加高兴了，说："是不是？老爷也知道，我们那几亩地，那一间杂货铺，还不是让日本人强占去的？到东洋领事那里打了一场官司，我们孩子的爸爸回来就气死了，临死还叫了一夜：'打死日本人，打死东洋鬼。'您看，若不是……我还不至于……"她兴奋得脸也红了，嘴唇哆嗦着，眼里也充满了泪光。母亲眼眶也红了，父亲站了起来，说："荣官，你带奶娘回屋歇一歇吧。"我那时只觉得又愤激又抱愧，听见父亲的话，连忙拉她回到屋里。这一段话，从来没听见她说过，等她安静下来，我又问她一番。

她叹口气抚摩着我说："你看我的命多苦，只生了一个女儿，还长不大。只因我没有儿子，我的婆婆整天哭她的儿子，还诅咒我，说她儿子的仇，一辈子没人报了。我一赌气，便出来当奶娘。我想奶一个大人家的少爷，将来像薛仁贵似的跨海征东，堵了我婆婆的嘴，出了我那死鬼男人的气。你大了……"我赶紧搂着她的脖子说："你放心，我大了一定去跨海征东，打死日本人，打死东洋鬼！"眼泪滚下了她的笑脸，她也紧紧的搂着我，轻轻的摇晃着，说："这才是我的好宝贝！"

从此我恨了日本人，每次奶娘带我到街上去，遇见日本人，或经过日本人的铺子，我们互搀着的手，都不由的捏紧了起来。我从来不肯买日本玩具，也不肯接受日货的礼物。朋友们送给我的日俄战争图画，我把上面的日本旗帜，都用小刀刺穿。稍大以后，我很用心的读日本地理，看东洋地图，因为我知道奶娘所厚望于我的，除了"作大官，挣大钱，娶个好媳妇"以外，还有"跨海征东"这一件事。

我的奶娘，有气喘的病，不服北方的水土，所以我们搬到北平的时候，她没有跟去。不过从祖父的信里，常常听到她的消息，她常来看祖父，也有时在祖父那里做些短工。她自己也常常请人写信来，每信都问荣官功课如何，定婚了没有。也问北方的佣人勤谨否。又劝我母亲驭下要恩威并济，不要太容纵了他们。母亲常常对我笑说："你奶娘到如今还管着我，比你祖父还仔细。"

母亲按月寄钱给她零用，到了我经济独立以后，便由我来供给她。我们在家里，常常要想到她，提到她，尤其是在国难期间，她的恨声和眼泪，总悬在我的眼前。在日本提出二十一条和"五四"那年，学生游行示威的时候，同学们在高呼"打倒日本帝国主义”，我却心里在喊“打死东洋鬼”。仿佛我的奶娘在牵着我的手，和我一同走，和我一同喊似的。

抗战的前两年，我有一个学生到故乡去做调查工作，我托他带一笔款子送给我的奶娘，并托他去访问，替她照一张相片。学生回来时，带来一封书信，一张相片，和一只九成金的戒指。相片上的奶娘是老得多了，那一双老眼却还是笑成两道缝。信上是些不满意于我的话，她觉得弟弟们都结婚了，而我将近四十岁还是单身，不是一个孝顺的长子。因此她寄来一只戒指，是预备送给我将来的太太的。这只戒指和一只母亲送给我的手表，是我仅有的贵重物品，我有时也戴上它，希望可以做一个“娶媳妇”的灵感！

抗战后，死生流转，奶娘的消息便隔绝了。也许是已死去了吧，我辗转都得不到一点信息。我的故乡在两月以前沦陷了，听说焚杀得很惨，不知那许多牺牲者之中，有没有我那良善的奶娘？我倒希望她在故乡沦陷以前死去。否则她没有看得见她的荣官“跨海征东”，却赶上了“东洋人造反”，我不能想象我的亲爱的奶娘那种深悲狂怒的神情……

安息吧，这良善的灵魂。抗战已进入了胜利阶段，能执干戈的中华民族的青年，都是你的儿子，跨海征东之期，不在远了！

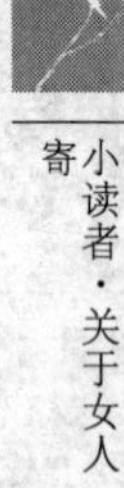

我的同班

L女士是我们全班男女同学所最敬爱的一个人。大家都称呼她"L大姐"。我们男同学不大好意思打听女同学的岁数，惟据推测，她不会比我们大到多少。但她从不打扮，梳着高高的头，穿着黯淡不入时的衣服，称呼我们的时候，总是连名带姓，以不客气的，亲热的，大姐姐的态度处之。我们也就不约而同，心诚悦服的叫她大姐了。

L女士是闽南人，皮肤很黑，眼睛很大，说话做事，敏捷了当。在同学中间，疏通调停，排难解纷，无论是什么集会，什么娱乐，只要是L大姐登高一呼，大家都是拥护响应的。她的好处是态度坦白，判断公允，没有一般女同学的羞怯和隐藏。你可和她辩论，甚至吵架，只要你的理长，她是没有不认输的。同时她对女同学也并不偏袒，她认为偏袒女生，就是重男轻女；女子也是人，为什么要人家特别容让呢，我们的校长有一次说她"有和男人一样的思路"，我们都以为这是对她最高的奖辞。她一连做了三年的班长，在我们中间，没有男女之分，党派之别，大家都在"拥护领袖"的旗帜之下，过了三年医预科的忙碌而快乐的生活。

在医预科的末一年，有一天，我们的班导师忽然叫我去见他。在办公室里，他很客气的叫我坐下，婉转的对我说，校医发现我的肺部有些毛病,学医于我不宜,劝我转系。这真是一个晴天霹雳!我要学医,是十岁以前就决定的。因我的母亲多病,服中医的药不大见效,西医诊病的时候,总要听听心部肺部,母亲又不愿意,因此,我就立下志愿要学医,学成了好替我的母亲医病。在医预科三年,成绩还不算坏,眼看将要升入本科了,如今竟然功亏一篑!从班导师的办公室里走出来的时候,我几乎是连路都走不动了。

午后这一堂是生理学实验。我只呆坐在桌边,看着对面的L大姐卷着袖子,低着头,按着一只死猫,在解剖神经,那刀子下得又利又快!其余的同学也都忙着,没有人注意到我。我轻轻的叫了一声,L大姐便抬起头来,我说:“L大姐,我不能同你们在一起了,导师不让我继续学医,因为校医说我肺有毛病……”L大姐愕然,刀也放下了,说:“不是肺痨吧?”我摇头说:“不是,据说是肺气枝涨大……无论如何,我要转系了,你看!”L大姐沉默了一会,便走过来安慰我说:“可惜的很,像你这么一个温和细心的人,将来一定可以做个很好的医生,不过假如你自己身体不好,学医不但要耽误自己,也要耽误别人。同时我相信你若改学别科,也会有成就的。人生的路线,曲折得很,塞翁失马,安知非福?”

下了课,这消息便传遍了,同班们都来向我表示惋惜,也加以劝慰,L大姐却很实际的替我决定要转哪一个系。她说:“你转大学本科,只剩一年了,学分都不大够,恐怕还是文学系容易些。”她赶紧又加上一句,“你素来对文学就极感兴趣,我常常觉得你学医是太可惜了。”

我听了大姐的话,转入了文学系。从前拿来消遣的东西,现在却当功课读了。正是“歪打正着”,我对于文学,起了更大

的兴趣，不但读，而且写。读写之余，在傍晚的时候，我仍常常跑到他们的实验室里去闲谈，听L大姐发号施令，商量他们毕业的事情。

大姐常常殷勤的查问我的功课，又索读我的作品。她对我的作品，总是十分叹赏，鼓励我要多读多写，在她的指导鼓励之下，我渐渐的消灭了被逼改行的伤心，而增加了写作的勇气。至今回想，当时若没有大姐的勉励和劝导，恐怕在那转变的关键之中，我要做了一个颓废而不振作的人吧！

在我教书的时候，L大姐已是一个很有名的产科医生了。在医院里，和在学校里一样，她仍是保持着领袖的地位，作一班大夫和护士们敬爱的中心。在那个大医院里，我的同学很多，我每次进城去，必到那里走走，看他们个个穿着白衣，挂着听诊器，在那整洁的甬道里，忙忙的走来走去。闻着一股清爽的药香，我心中常有一种说不出来的感觉，如同一个受伤退伍的兵士，裹着绷带，坐在山头，看他的伙伴们在广场上操练一样，也许是羡慕，也许是伤心，虽然我对于我的职业，仍是抱着与时俱增的兴趣。

同学们常常留我在医院里吃饭，在他们的休息室里吸烟闲谈，也告诉我许多疑难的病症。一个研究精神病的同学，还告诉我许多关于精神病的故事。L大姐常常笑说："×××，这都是你写作的材料，快好好的记下吧！"

抗战前一个多月，我从欧洲回来，正赶上校友返校日。那天晚上，我们的同级有个联欢大会，真是济济多士！十余年中，我们一百多个同级，差不多个个名成业就，儿女成行(当然我是一个例外！)，大家携眷莅临，很大的一个厅堂都坐满了。觥筹交错，童稚欢呼，大姐坐在主席的右边，很高兴的左顾右盼，说这几十个孩子之中，有百分之九十五是她接引降生的。酒酣耳热，大家谈起做学生时代的笑话，情况愈加热烈了。主席忽然起立，敲着桌子提议："现在请求大家轮流述说，假如下一辈子再托生，还能做一个人的时候，你愿意做一个什么样的人?"大家哄然大笑。于是有人说他愿意做一个大元帅，有人说愿做个百万富翁……轮到我的时候，大姐忽然大笑起来，说："×××教授，我知道你下一辈子一定愿意做一个女人。"大家听了都笑得前仰后合；当着许多太太们，我觉得有点不好意思，我也笑着反攻说："L大夫，我知道你下一辈子，一定愿意做一个男人。"L大姐说："不，我仍愿意做一个女人，不过要做一个漂亮的女人，我做交际明星，做一切男人们恋慕的对象……"她一边说一边笑，那些太太们听了纷纷起立，哄笑着说："L大姐，您这话就不对，您看您这一班同学，哪一个不恋慕您？来，来，我们要罚您一杯酒。"我们大家立刻鼓掌助兴。L大姐倚老卖老的话，害了她自己了！于是小孩们捧杯，太太们斟酒，L大姐固辞不获，大家笑成一团。结果是滴酒不入的L大医生，那晚上也有些醉意了。

盛会不常，佳时难再，那次欢乐的集会，同班们三三两两的天涯重聚，提起来都有些怅惘，事变后，我还在北平，心里烦闷得很，到医院里去的时候，L大姐常常深思的皱着眉对我们说："我呆不下去了。在这里不是'生'着，只是'活'着！我们都走吧，走到自由中国去，大家各尽所能，你用你的一支笔，我们用我们的一双手，我相信大后方还用得着我们这样的人！"大家都点点头。我说："你们医生是当今第一等人材，我这拿笔杆的人，做得了什么事？假若当初……"大姐正色拦住我说："×××，我不许你再说这些无益的话，你自己知道你能做些什么事，

学文学的人还要我们来替你打气,真是!"

一年内,我们都悄然的离开了沦陷的故都,我从那时起,便没有看见过我们的L大姐,不过这个可敬的名字,常常在人们口里传说着,说L大姐在西南的一个城市里,换上军装,灰白的头发也已经剪短了。她正在和她的环境,快乐的,不断的奋斗,在蛮烟瘴雨里,她的敏捷矫健的双手,又接下了成千累百的中华民族的孩童。她不但接引他们出世,还指导他们的父母,在有限的食物里,找出无限的滋养料。她正在造就无数的将来的民族斗士!

我希望在不久的将来,我们回到故都重开级会的时候,我能对她说:"L大姐,下一辈子我情愿做一个女人,不过我一定要做像你这样的女人!"

我的同学

不知女人在一起的时间,是常谈到男人不是?我们一班朋友在一起的时候,的确常谈着女人,而且常常评论到女人的美丑。

我们所引以自恕的,是我们不是提起某个女人,来品头论足;我们是抽象的谈到女人美丑的标准。比如说,我们认为女人的美可分为三种:第一种是乍看是美,越看越不美;第二种是乍看不美,越看越觉出美来;第三种是一看就美,越看越美!

第一种多半是身段窈窕,皮肤洁白的女人,瞥见时似乎很动人,但寒暄过后,坐下一谈,就觉得她眉画得太细,唇涂得太红,声音太粗糙,态度太轻浮,见过几次之后,你简直觉得她言语无味,面目可憎。

第二种往往是装束素朴,面目平凡的女人,乍见时不给人以特别的印象。但在谈过几次话,同办过几次事以后,你会渐渐的觉得她态度大方,办事稳健,雅淡的衣饰,显出她高洁的品味;不施铅华的脸上,常常含着柔静的微笑,这种女人,认识了之后,很不易使人忘掉。

第三种女人,是鸡群中的仙鹤,万绿丛里的一点红光!在万人如海之中,你会毫不迟疑的把她拣拔了出来。事实上,是在不容你迟疑之顷,她自己从人丛中浮跃了出来,打击在你的眼帘上。这种女人,往往是在"修短合度,秾纤适中……芳泽无

加，铅华弗御”的躯壳里，投进了一个玲珑高洁的灵魂。她的一言一笑，一举一动，都流露着一种神情，一种风韵，既流丽，又端庄，好像白莲出水，玉立亭亭。

假如有机会多认识她，你也许会发现她态度从容，辩才无碍，言谈之际，意暖神寒。这种女人，你一生至多遇见一两次，也许一次都遇不见！

我也就遇见过一次！

C女士是我在大学时的同学，她比我高两班。我入大学的第一天，在举行开学典礼之前一小时，在大礼堂前的长廊上，瞥见了她。

那时的女同学，都还穿着制服，一色的月白布衫，黑绸裙儿，长蛇般的队伍，总有一二百个。在人群中，那竹布衫子，黑绸裙子，似乎特别的衬托出C女士那夭矫的游龙般的身段。她并没有大声说话，也不曾笑，偶然看见她和近旁的女伴耳语，一低头，一侧面，只觉得她眼睛很大，极黑，横波入鬓，转盼流光。

及至进入礼堂坐下——我们是按着班次坐的，每人有一定的座位——她正坐在我右方前三排的位子上，从从容容略向右倚。我正看一个极其美丽潇洒的侧影：浓黑的鬓发，一个润厚的耳廓，洁白的颈子，美丽的眼角和眉梢。台上讲话的人，偶然有引人发笑之处，总看见她微微的低下头，轻轻的举起左手，那润白的手指，托在腮边，似乎在微笑，又似乎在忍着笑。这印象我极其清楚，也很深。以后的两年中，直到她毕业时为止，在集会的时候，我总在同一座位上，看到这美丽的侧影。

我们虽不同班，而见面的时候很多，如同歌咏队，校刊编辑部，以及什么学会等等。她是大班的学生，人望又好，在每一团体，总是负着重要的责任。任何集会，只要有C女士在内，人数到的总是齐全，空气也十分融和静穆，男同学们对她固然敬慕，女同学们对她也是极其爱戴，我没有听见一个同学，对她有过不满的批评。

C女士是广东人，却在北方生长，一口清脆的北平官话。在集会中，我总是下级干部，在末座静静的领略她稳静的风度，听取她简洁的谈话。她对女同学固然亲密和气，对男同学也很谦逊大方，她的温和的笑，解除了我们莫名其妙的局促和羞涩，我觉得我并不是常常红脸的人，对别的女同学，我从不觉得踧踖。但我看不只我一个人如此，许多口能舌辩的男同学，在C女士面前，也往往说不出话来，她是一轮明丽的太阳，没有人敢向她正视。

我知道有许多大班的男同学，给她写过情书，她不曾答复，也不存芥蒂，我们也不曾听说她在校外有什么爱人。我呢？年少班低，连写情书的思念也不敢有过，但那几年里，心目中总是供养着她。直至现在，梦中若重过学生生活，梦境中还常常有着C女士，她或在打球，或在讲演，一朵火花似的，在我迷离的梦雾中燃烧跳跃。这也许就是老舍先生小说中所谓之“诗意”吧！我算对得起自己的理想，我一辈子只有这么一次“诗意”！

在C女士将要毕业的一年，我同她演过一次戏，在某一幕中，我们两人是主角，这一幕剧我永远忘不了！那是梅德林克的《青鸟》中之一幕。那年是华北旱灾，学校里筹款赈济，其中有一项是演剧募捐，我被选为戏剧股主任。剧本是我选的，我译的，演员也是我请的。我自己担任了小主角，请了C女士担任“光明之神”。上演之夕，到了进入“光明殿”之一幕，我从黑暗里走到她的脚前，抬头一望，在强烈的灯光照射之下，C女士散披着洒满银花的轻纱之衣，扶着银杖。经过一番化装，她那

对秀眼,更显得光耀深大,双颊绯红,樱唇欲滴。及至我们开始对话,她那银铃似的声音,虽然起始有点颤动,以后却愈来愈清爽,愈嘹亮,我也如同得了灵感似的,精神焕发,直到终剧。我想,那夜如果我是个音乐家,一定会写出一部交响曲,我如果是一个诗人,一定会作出一首长诗。可怜我什么都不是,我只作了半夜光明的乱梦!

等到我自己毕业以后,在美国还遇见她几次,等到我回国在母校教书,听说她已和一位姓 L 的医生结婚,住在天津。同学们聚在一起,常常互相报告消息,说她的丈夫是个很好的医生,她的儿女也像她那样聪明美丽。

我最后听到她的消息,是在抗战前十天,我刚从欧洲归来,在一位美国老教授家里吃晚饭。他提起一星期以前,他到天津演讲,演讲后的茶会中,有位极漂亮的太太,过来和他握手,他搔着头说:“你猜是谁?就是我们美丽的 C!我们有八九年没有见面了,真是使人难以相信,她还是和从前一样的好看,一样的年轻,……你记得 C 吧?”我说:“我哪能不记得?我游遍了东京、纽约、伦敦、巴黎、罗马、柏林、莫斯科……我还没有遇见过比她还美丽的女人!”

又六年没有消息了,我相信以她的人格和容貌的美丽,她的周围随处都可以变成光明的天国。愿她享受她自己光明中之一切,愿她的丈夫永远是个好丈夫,她的儿女永远是些好的儿女。因为她的丈夫是有福的,她的儿女也是有福的!

我的朋友的太太

在单身教授的楼上，住着三个人，L，T，和我。他们二位都是理学院教授，在实验室的时候多，又都是订过婚的人，下课回来，吃过晚饭，就在灯下写起情书，只要是他们掩着屋门，我总不去打搅。沉浸在爱的幸福中的人们，是不会意识到旁人的寂寞的，我只好自己在客厅里，开起沙发旁的电灯，从十八世纪的十四行诗中，来寻找我自己"神光离合"的爱人。

L 和我又比较熟识一些，常常邀我到他屋里去坐。在他的书桌上，看到了他的未婚夫人的照片，长圆的脸，戴着眼镜，一副温柔的笑容。L 告诉我，他们是在国外认识而订婚的，这浪漫史的背景，是美国东部一个大学生物学的实验室里，他们因着同学，同行而同志，同情，最后认为终身同工，是友情的最美满的归宿，于是就……L 说到这里，脸上一红，他是一个木讷腼腆的人，以下就不知说什么好。我赶紧接着说："将来，你们又是一对居里夫妇，恭喜恭喜，何时请我们吃喜酒呢？"

于是在一年的夏天，L 回到上海去，回来的时候，就带着他的新妇，住在一所新盖好的教授住宅里。

我们被邀去吃晚饭的那一晚，不过是他们搬入的一星期之后，那小小的四间屋子，已经布置得十分美观妥贴了。卧室是浅红色的，浅红色的窗帘、台布、床单、地毯，配起简单的白色家

具,显得柔静温暖。书房是两张大书桌子相对,中间一盏明亮的桌灯,墙上一排的书架,放着许多的书,以及更多的瓶子,里面是青蛙苍蝇,还有各色各种不知名的昆虫。这屋子里,家具是浅灰色的,窗帘等等是绿色的,外面是客厅和饭厅打通的一大间,一切都是蓝色的,色调虽然有深浅,而调和起来,觉得十分悦目。

客人参观完毕,在客厅坐下之后,新娘子才从厨房后面走出来,穿着一件浅红色的衣服,装束雅淡,也未戴任何首饰,面庞和相片上差不多,只是没有戴眼镜,说不上美丽,但自有一种凝重和蔼的风度。她和我们一一握手寒暄,态度自然,口齿流利,把我们一班单身汉,预先排练好的一套闹新房的话,都吓到爪哇国里去了。

席上新娘子和每一个人谈话,大家都不觉得空闲。L 本来话少,只看着我们笑。我们都说:"L 太太,您应当给 L 一点家庭教育,教他多说一点话。"她笑说:"恐怕是我说的话太多,他就没有机会出头了。"——席散大家有的下围棋,有的玩纸牌,L 太太很快的就把客人组织起来,我是不大会玩的,就和这一对新夫妇,在廊上看月闲谈。我说:"L 太太,不怕你恼,我看你的家庭布置,简直像个学文学的人,有过审美训练的。"她谦逊了几句,又笑说"我有几个学美术、文学的女友,在本行上造诣都很好,但一进入她们的家门屋门,×先生,真是如你所说的,像个学科学的人的家庭……"我觉得不好意思,才要说话,她赶紧笑说:"我知道你的意思,我是说,审美观念,有时近乎天生,这当然也不是说我真有审美的观念,我只是说所学的与所用的,有时也不一致。"从此又谈到文学,这是我的本行,但 L 太太所知道的真是不少,欣赏力也很高,我们直谈到牌局棋局散后，又吃了点冰淇淋才走。

L太太每天下午，同L先生到实验室，下课后，他们二位常常路过我们的宿舍，就邀我去晚饭。大厨房里的菜，自然不及家庭里的烹调，我也就不推却，只有时送去点肉松、醉蟹、糖果饼干之类，他们还说我客气。

冬夜，他们常常生起壁炉，饭后就在炉边闲谈。我教给他们喝一点好酒，抽一点好烟，他们虽不拒绝，却都不发生兴趣。L太太甚至于说我的吃酒抽烟，都是因为没有娶亲的原故，因而就追问我为什么不娶亲，我说："L太太，你真是太清教徒了，你真没有见过抽烟喝酒的人，像我这样饭前一杯酒，饭后一支烟，在男人里面，就算是不充分享受我们的权利的了。至于娶亲，我还是那一句老话，文章既比人坏，老婆就得比人家好，而我的朋友的老婆，一个赛似一个的好，叫我哪里去找更好的？一来二去，就耽误了下来，这不能怪我……"L太太笑得喘不过气来，L就说："别理他，他是个怪人！只要他态度稍微严肃一些，还怕娶不到老婆？恐怕真正的理由，还是因为他文章太好的缘故。"

L太太真是个清教徒，不但对于烟酒，对于其他一切，也都有着太高而有时不近人情的理想，虽然她是我所见到的，最人性最女性的女人。比如说，她常常赞美那些太太死后绝不再娶的男人，认为那是爱情最贞坚的表现，我听她举例不止一次。有一次是除夕，大家都回去过年——我的家那时还在上海，也不想进城去玩——L夫妇知道我独在，就打电话来请我吃火锅，饭后酒酣耳热，灯光柔软，在炉边她又感慨似的，提起某位老先生，在除夕不知多么寂寞，他鳏居了三十年，朝夕只和太太的照片相伴，是多么可爱可敬的一个老头子啊！

我站了起来，把烟尾扔在壁炉里，说："对不起，L太太，这点我不和你同意！假如我是个女人，而且结婚生活美满，我死后，一定欢喜我的丈夫再娶。我在我的遗嘱上，一定加上几句，说：'亲爱的，为着家庭的完整，为着儿女的教养，为着其他一切，我恳切的请你在最短期内，再娶一位既贤且能的夫人……'"这时不但L太太睁着两只大眼看我，连L也把手里的书放下了。

我重新点起一支烟，一面坐下，说："女人总觉得丈夫的再娶，是对自己不忠诚，不真挚的反映，我说一句不怕女人生气的话，这就是虚荣心充分的暴露；而且就事实上说，凡是对于结婚生活，觉得幸福美满的人，他的再婚，总比其他的人，来得早些。习惯于美满家庭的人，太太一死，就如同丧家之犬，出入伤心，天地异色，看着女儿啼哭，婢仆怠惰，家务荒弛，他就完全失了依据。夜深人静，看着儿女泪痕狼藉，苍白瘦弱的脸，他心里就针扎似的，恨不得一时能够追回那失去的乐园……"这时L太太不言语了，拿手绢擤了擤鼻子。

我说："反过来，结婚生活不美满的人，太太死了，他就如同漏网之鱼，一溜千里，他就暂时不要再受结婚生活的束缚，先悠游自在的过几年自由光阴再说。所以，鳏夫的早日再婚，是对于结婚生活之信任，是对于温暖家庭的热恋，换句话说，也就是对于第一位夫人最高的颂赞。再一说，假如你真爱你的丈夫，在自己已成槁木死灰之时，还有什么虚荣，什么忌妒，你难道忍心使他受尽孤单悲苦，无人安慰的生活？而且，假如你的丈夫真爱你，也不会因为眼前有了一个新人，就把你完全忘掉。《红楼梦》里的藕官，就非常的透彻这道理，人家问她，为什么得了新的，就把旧的忘了。她说：'不是忘了，比如人家男人，死了女人，也有再娶的，不过不把死的丢过不提，就是有情分了。'所以她虽然一和蕊官碰在一起，就谈得'热剌剌的丢不下'，而一面还肯冒大观园之不韪，'满面泪痕'的在杏子荫中，给死了的药官烧纸，这一段故事，实在表现了最正常的人情物理！听不听由你，我只能说，假如我是个女人，我对于一个男人的品评，决不因为他妻死再娶，就压低了他的人格。假如我是个女人，我决不在我生前，强调再婚男人之不足取……"

大概是有了点酒意，我滔滔不绝的说下去，这是我和L太太不客气的辩论之第一次。她虽然不再提起，但我知道她并不和我完全同意。

一年以后，有件事实，却把她说服了。

从前和我们同住的T，也是和L同年结婚的，他们两家住的极近。T太太也是一位极其温柔和蔼的女人，和L太太很合得来。T夫妇的情好自不必说。一年以后，T太太因着难产，死在医院里，T是哭得死去活来。L太太一边哭，一边帮他收拾，帮他装殓，帮他料理丧事，还帮他管家。那时L太太的儿子宝弟诞生不久，她也很忙，再兼管T的家事，弄得劳瘁不堪。最后她到底把T太太的妹妹介绍给T先生，促他订婚，促他成礼，我在旁边看着，觉得十分有趣，因此在T二次结婚的婚筵后，我同L夫妇缓步归来，我笑着同L太太说："假如你觉得男人人格的最高标准，是妻死不娶，你就不应当陷T于不义。"她却眼圈红了，说："×先生，请你不要再说了吧！"她的下泪，很出我意外，我从此就不再提。

但对于我之不娶，她仍是坚决的反对，这也许是她的报复，因为我不能反驳她。他们的儿子宝弟刚会说话，她就教他叫我"老丈人"。直至抗战那年，我离开北平，九岁的宝弟，和我握别

的时候，还说："老丈人，你回来的时候，千万要把你的女儿，我的太太带了回来！"

他问我要女儿，别说一个，要两个也容易，但我的太太还没有影子呢。

我 的 学 生

S是在澳洲长大的——她的父亲是驻澳的外交官——十七岁那年才回到祖国来。她的祖父和我的父亲同学,在她考上大学的第二天,她祖父就带她来看我,托我照应。她考的很好,只国文一科是援海外学生之例,要入学以后另行补习的。

那时正是一个初秋的下午,我留她的祖父和她,在我们家里吃茶点。我陪着她的祖父谈天,她也一点不拘束的,和我们随便谈笑。我觉得她除了黑发黑睛之外,她的衣着,表情,完全像一个欧洲的少女。她用极其流利的英语,和我谈到国文,她说:"我曾经读过国文,但是一位广东教师教的,口音不正确……"说到这里,她极其淘气的挤着眼睛笑了,"比如说,他说:'系的,系的,萨天常常萨雨。'你猜是什么意思?她是说:'是的,是的,夏天常常下雨'你看!"她说着大笑起来,她的祖父也笑了。

我说:"大学里的国文又不比国语,学国语容易,只要你不怕说话就行。至于国文,要能直接听讲,最好你的国文教授,能用英语替你解说国文,你在班里再一用心,就行了。"她的祖父就说:"在国文系里,恐怕只有你能用英语解说国文,就把她分在你的组里吧,一切拜托了!"我只得答应了。

上了一星期的课,她来看我,说别的功课都非常容易,同学们也都和她好,只是国文仍是听不懂。我说:"当然我不能为你

的缘故，特别的慢说慢讲，但你下课以后，不妨到我的办公室里，我再替你细讲一遍。”她也答应了。从此她每星期来四次，要我替她讲解。真没看见过这样聪明的孩子，进步像风一样的快。一个月以后，她每星期只消来两次，而且每次都是用纯粹的流利的官话，和我交谈。等到第二学期，她竟能以中文写文章，她在我班里写的“自传”长至九千字，不但字句通顺，而且描写得非常生动。这时她已成了全校师生嘴里所常提到的人物了。

她学的是理科，第二年就没有我的功课，但因为世交的关系，她还常常来看我。现在她已完全换了中服，一句英语不说，但还是同欧美的小女孩儿一样的活泼淘气。她常常对我学她们化学教授的湖南腔，物理教授的山东话，常常使全客厅的人们，笑得喘不过气来。她有时忽然说：“×叔叔，我祖父说你在美国一定有位女朋友，否则为什么在北平总不看见你同女友出去？”或说：“众位教授听着！我的×叔叔昨天黄昏在校园里，同某女教授散步，你们猜那位女教授是谁？”她的笑话，起初还有人肯信，后来大家都知道她的淘气，也就不理她。同时，她的朋友越来越多，课余忙于开会，赛球，骑车，散步，溜冰，演讲，排戏，也没有工夫来吃茶点了。

以后的三年里，她如同狮子滚绣球一般，无一时不活动，无一时不是使出浑身解数的在活动。在她，工作就是游戏，游戏就是工作。早晨看见她穿着蓝布衫，平底皮鞋，夹着书去上课；忽然又在球场上，看见她用红丝巾包起头，穿着白衬衣，黑短裤，同三个男同学打网球；一转眼，又看见她骑着车，飞也似的掠过去，身上已换了短袖的浅蓝绒衣和蓝布长裤；下午她又穿着实验白衣服，在化学楼前出现；到了晚上，更摸不定了，只要大礼堂灯火辉煌，进去一看，台上总有她，不是唱歌，就是演戏；

在周末的晚上,会遇见她在城里北京饭店或六国饭店,穿起曳地的长衣,踏着高跟鞋,戴着长耳坠,画眉,涂指甲,和外交界或使馆界的人们,吃饭,跳舞。

她的一切活动,似乎没有影响到她的功课,她以很高的荣誉毕了业。她的祖父非常高兴,并邀了我的父亲来赴毕业会,会后就在我们楼里午餐。她们祖孙走后,我的父亲笑着说:"你看S像不像一只小猫,没有一刻消停安静!她也像猫一样的机警聪明,虽然跳荡,却一点不讨厌。我想她将来一定会嫁给外交人员,你知道她在校里有爱人吧?"我说:"她的男朋友很多,却没听说过有哪一个特别好的,您说的对,她不会在同学中选对象,她一定会嫁给外交人员。但无论如何,不会嫁给一个书虫子!"

出乎意外的,在暑期中,她和一位P先生宣布订婚,P就是她的同班,学地质土壤的。我根本没听说过这个人!问起P的业师们,他们都称他是个绝好的学生,很用功,性情也沉静,除读书外很少活动。但如何会同S恋爱订婚,大家都没看出,也绝对想不到。

一年以后,他们结了婚,住在S祖父的隔壁,我的父亲有时带我们几个弟兄,去拜访他们。他们家里简直是"全盘西化",家人仆妇都会听英语,饮食服用,更不必说。S是地道的欧美主妇,忙里偷闲,花枝招展。我的父亲常常笑对S说:"到了你家,就如同到澳洲中国公使馆一般!"

但在住在"澳洲中国公使馆"的P先生,却如同古寺里的老僧似的,外面狂舞酣歌,他却是不闻不问,下了班就躲在他自己的书室里,到了吃饭时候才出来,同客人略一招呼,就低头举箸。倒是S常来招他说话,欢笑承迎。饭后我常常同他进入书室，在那里，他的话就比较的多。虽然我是外行，他也不惮烦的告诉许多关于地质土壤的最近发现，给我看了许多图画、照片和标本。父亲也有时捧了烟袋，踱了进来，参加我们的谈话。他对P的印象非常之好，常常对我说："P就是地质本身，他是一块最坚固的磐石。S和一般爱玩漂亮的人玩腻了，她知道终身之托，只有这块磐石最好，她究竟是一个聪明人！"

我离开北平的时候，到她祖父那里辞行，顺便也到P家走走。那时S已是三个孩子的母亲，院子里又添上了沙土池子，秋千架之类。家里人口添了不少，有保姆，浆洗缝做的女仆，厨子，园丁，司机，以及打杂的工人等等。所以当S笑着说"后方见"的时候，我也只笑着说："我这单身汉是拿起脚来就走，你这一个'公使馆'如何搬法？"P也只笑了笑，说："×先生，你到那边若见有地质方面新奇的材料，在可能的范围内，寄一点来我看看。"

从此又是三年——

忽然有一天，我在云南一个偏僻的县治旅行，骑马迷路。那时已近黄昏，左右皆山，顺着一道溪水行来，逢人便问，一个牧童指给我说："水边山后有一个人家，也是你们下江人，你到那边问问看，也许可以找个住处。"我牵着马走了过去，斜阳里一个女人低着头，在溪边洗着衣裳，我叫了一声，她猛然抬起头来，我几乎不能相信我的眼睛，那用圆润的手腕，遮着太阳，一对黑大的眼睛，向我注视的，不是S是谁？

我赶了过去，她喜欢的跳了起来，把洗的衣服也扔在水里，嘴里说："你不嫌我手湿，就同我拉手！你一直走上去，山边茅屋，就是我们的家。P在家里，他会给你一杯水喝，我把衣裳洗好就来。"

三个孩子在门口草地上玩,P在一边挤着羊奶,看见我,呆了一会,才欢呼了起来。四个人把我围拥到屋里,推我坐下,递烟献茶,问长问短。那最大的九岁的孩子,却溜了出去,替我喂马。

S提着一桶湿衣服回来,有一个小脚的女工,从厨房里出来,接过,晾在绳子上。S一边擦着手笑着走了进来,我们就开始了兴奋而杂乱的谈话,彼此互说着近况,从谈话里知道他们是两年前来的,我问起她的祖父,她也问起我的父亲。S是一刻不停的做这个那个,她走到哪里。我们就跟到哪里谈着。直到吃过晚饭,孩子们都睡下了,才大家安静的,在一盏菜油灯周围坐了下来。S补着袜子,P同我抽着柳州烟,喝着胜利红茶谈话。

S笑着说:"这是'公使馆'的'山站',我们做什么就是得像什么!×叔叔!这座茅屋,就是P指点着工人盖的,门都向外开,窗户一扇都关不上!拆了又安,安了又拆,折腾了几十回。这书桌,书架,'沙发'椅子都是P同我自己钉的,我们用了七十八个装煤油桶的木箱。还有我们的床,那是杰作,床下还有放鞋的矮柜子。好玩的很,就同我们小时玩'过家家'似的,盖房子,造家具,抱娃娃,做饭,洗衣服,养鸡,种菜,一天忙个不停,但是,真好玩,孩子们都长了能耐,连P也会做些家务事。我们一家子过着露营的生活,笑话甚多,但是,我们也时常赞叹自己的聪明,凡事都能应付得开。明天再带你去看我们的鸡棚,羊圈,蜂房,还有厕所,……总而言之,真好玩!"

我凝视着她,"真好玩"三字就是她的人生观,她的处世态度,别的女人觉得痛苦冤抑的工作,她以"真好玩"的精神,"举重若轻"的应付了过去。她忙忙的自己工作,自己试验,自己赞叹,真好玩!她不觉得她是在做着大后方抗战的工作,她就是

萧伯纳所说的:“在抗战时代,除了抗战工作之外,什么都可以做”的大艺术家!

当夜他们支了一张行军床——也是他们自己用牛皮钉的——把我安放在P的书室里,这是三间屋子里最大的一间,兼做了客室,储藏室等等。墙上仍是满钉着照片图画,书架上垒着满满的书,墙角还立着许多锄头,铁铲,锯子,扁担之类。灭灯后月色满窗,我许久睡不着,我想起北平的“澳洲中国公使馆”,想起我的父亲,不知父亲若看了这个山站,要如何想法!

阳光射在我的脸上,一阵煎茶香味,侵入鼻管。我一睁眼,窗外是典型的云南的海蓝的天,门外悄无声息。我轻轻的穿起衣服,走了出来,看见S蹑手蹑脚的在摆着早饭,抬头看见我,便笑说:“睡得好吧?你骑了一天马,一定累了,我们没有叫你。P上班去了,孩子们也都上学了,我等着你一块儿吃粥。”说着忙忙的又到厨房里去了。

我在外间屋里,一面漱洗,一面在充满阳光的屋子里,四周审视。“公使馆”的物质方面,都已降低,而“公使馆”的整洁美观的精神,尽还存在,还添上一些野趣。饭桌上蒙着一块白底红花土布,一只大肚的陶罐里,乱插着红白的野花。桌上是一盘黄果,——四川人叫做广柑——对面摆着两只白盘子,旁边是两把红柄的刀子,两双红筷子,两个红的电木的洗手碗,两块白底红花的饭巾……正看着,S端了一盘鸡蛋炸馒头片进来,让我坐下,她自已坐在对面。我们一面剥黄果,一面谈话。

白天看S,觉得她比三年前瘦了许多,但精神仍旧是很好,身上穿着蓝底印白花的土布衫子,短袜子,布鞋;脸上薄施脂粉,指甲也染得很红。我笑说:“你的化装品都带来了吧?”她也笑说:“都带来了,可是我现在用的是鹅蛋粉和胭脂棉。凤仙花瓣和白矾捣了也可以染指甲。”

我们吃着S自制的咸鸭蛋和泡菜，吃过稀饭，又喝了煎茶。坐了一会，S就邀我去参观她的环境。出到门外，菜园里红的是辣椒，西红柿，绿的是豆子，黄的是黄瓜，紫的是茄子，周围是一片一片的花畦，阳光下光艳夺目，蜂喧蝶闹。菜园的后面，简直像个动物园！十几只意大利的大白鸡，在沙地上吃食，三只黑羊，两只狼犬——我的那匹马也拴在旁边——还有小孩子养的松鼠和白兔。一只极胖的蓝睛的暹罗猫，在篱隙出入跳跃。

转到山后，便看见许多人家，S说这便是市中心，有菜场，有邮政代办所，有中心小学校。P的“地质调查所”是全市最漂亮高大的房子，砖墙瓦顶，警察岗亭就设在门边。我们穿过这条“大街”的时候，男女老幼，村的俏的，都向S招呼，说长道短。有个妇人还把一个病孩子，从门洞里抱出来给S看。当我们离开这人家的时候，我笑说：“S，如今你不是公使夫人，而是牧师太太了！”她笑了一笑。

大街尽头，便是五六幢和S的相似的房子，那是地质调查所同人的住宅。S也带我进去访问。那些太太们大都是外省人，看见我去都很亲热，让坐让茶。她们的房间和S的一样，而陈设就很乱很俗，自己是乱头粗服，孩子们也啼哭喧闹。这些太太们不住的向我道歉，说是房间又小，佣人又笨，什么都不趁手，哪能像北平，上海那样的可以待客呢？我无聊的坐了一会，也就告辞了出来。

回来的路上，S请我先走，说她还要到小学里去教一堂课。我也便不回来，却走到“地质调查所”去找P，参观了他们的工作。等到P下班，我们一同走出来，三个孩子十分高兴的在门口等着，说是“妈妈炖了鸡，烤了肉，蒸了蛋羹，请客人回去吃

大馒头去!”

午后我睡了一大觉,醒起便要走路,S 和 P 一定不肯,说今晚要约几个朋友来和我谈谈。S 笑说还有几位漂亮的太太。我说:“假如你们可怜我,就免了这一套吧,我实在怕见生人;还有,你也扮演不出‘公使馆’那一出!”P 说:“也好,你再住一天,我们不请客人好了。”S 想了一会,笑了,说:“晚饭以前,我还有事,你们带这几个孩子到对山去玩去,六时左右,带些红杜鹃花回来。”我们答应了,孩子们欢呼着都跑在前面去了。

我和 P 对躺在山头草地上,晒着太阳。我说:“你们这一对儿真好,你从前是那样稳静,现在也是那样稳静。S 从前是那样活泼,现在也是那样活泼,不过比从前更老练能干了,真是难得。”P 沉默了一会,说:“×先生,你只知道 S 活泼的一方面,还没有看她严肃的一方面。她处处求全,事事好胜,这一二年来,身体也大不如从前了!她一个人做着六七个人的事,却从不肯承认自己的软弱。你知道她欢喜引用中文成语——英文究竟是她的方言,她睡梦中常说英语——有时文不对题的使人发笑。有一天,我下班回来,发现她躺在床上,看见我就要起来。我按住她,问她怎么了,她说没有什么。只觉得有一点头晕。我在床边坐了一会,她忽然说:‘P,我这个人真是“心比天高,命比纸薄”。’我心里忽然一阵难过,勉强笑说:‘别胡说了,你知道“薄命”这两个字,是什么意思。’她却流下泪来,转身向里躺着去了。×先生,你觉得……”

P 说不下去了,我也不觉愣住,便说:“我自然看出 S 严肃的一方面,她如果不严肃,她不会认得你,她如果不严肃,她不会到内地来,她的身体是不如从前了,你要时时防护着她!至于她所说的那两句话你倒不必存在心里,她对于汉文是半懂不懂的。”P不言语，眼圈却红了。

这时候孩子们已抱着满怀的红杜鹃花，跑了上来，说：“我们该回去了，晚饭以前，我们还要换衣服呢。”

一进家门，那“帮工”的李嫂，穿着一身黑绸的衣裤，系着雪白的围裙，迎了出来，嘴里笑着说：“客人们请客厅坐。”我们进到中间屋里，看着餐桌上铺着雪白的桌布，点着辉煌的四支红烛，中间一大盘的红杜鹃花，桌上一色的银盘银箸，雪白的饭巾。我们正在诧愕，李嫂笑着打起卧房的布帘子，说：“太太！客人来了。”S从屋里笑盈盈的走了出来，身上穿着红丝绒的长衣，大红宝石的耳坠子，脚上是丝袜，金色高跟鞋，画着长长的眉，涂上红红的嘴唇，眼圈边也抹上淡淡的黄粉，更显得那一双水汪汪的俊眼——这一双俊眼里充满着得意的淘气的笑——她伸出手来，和我把握，笑说：“×先生晚安！到敝地多久了？对于敝处一切还看得惯吧？”我们都大笑了起来，孩子们却跑过去抱着S的腿，欢呼着说：“妈妈，真好看！”回头又拍手笑说：“看！李嫂也打扮起来了！”李嫂忍着笑，走到厨房里去了。

我们连忙洗手就座。因为没有别的客人，孩子们便也上席，大家都兴高采烈。饭后，孩子们吃过果点，陆续的都去睡了。S又煮起咖啡，我们就在廊上看月闲谈。看着S的高跟鞋在月下闪闪发光，我就说：“你现在没有机会跳舞玩牌了吧？”S笑说：“才怪！P的跳舞和玩牌都是到了这里以后才学会的。晚饭后没事，我就教给P打‘蜜月’纸牌，也拉他跳舞。他一天工作怪累的，应当换一换脑筋。”P笑说：“我倒不在乎这些个，我在北平的时候，就不换脑筋。我宁可你在一天忙累之后，早点休息睡觉，我自己再看一点轻松的书。”我说：“S，你会开汽车吧？”S说：“会的，但到这里以后，没有机会开了。”我笑说：

"你既会开车,就知道无论多好多结实的车子,也不能一天开到二十四小时,尤其在这个崎岖的山路上。物力还应当爱惜,何况人力?你如今不是过着'电气冰箱,抽水马桶'的生活了,一切以保存元气为主,不能一天到晚的把自己当做一架机器,不停的开着……"S连忙说:"正是这话!人家以为我只会过'电气冰箱,抽水马桶'的生活……"我拦住她,"你又来,总是好胜要强的脾气!你如果把我当做叔叔,就应当听我的话。"S笑了一笑,抬头向月,再不言语。

第二天一早,我就骑着马离开这小小的镇市。P和S,和三个小孩子都送我到大路上,我回望这一群可爱的影子,心中忽然感激,难过。

回到我住处的第三天,忽然决定到重庆来。在上飞机之前,匆匆的给他们写一封短信,谢谢他们的招待,报告了我的行踪。并说等我到了重庆以后,安定下来,再给他们写信——谁知我一到陪都,就患了一个月的重伤风,此后东迁西移,没有一定的住址。直到两月以后,才给他们写了一封很长的信,许久没有得到回音。又在两月以后,我在一个大学里,单身教授的宿舍窗前,拆开了P的一封信:

×先生:

我何等的不幸,S已于昨天早晨弃我而逝!原因是一位同事出差去了,他的太太忽然得了急性盲肠炎。S发现了,立刻借了一部车子,自己开着,送她到省城。等到我下班,看见了她的字条,立刻也骑马赶了去……那位太太已入了医院,患处已经溃烂,幸而开刀经过良好,只是失血太多,需要输血。那时买血很贵,那位太太因经济关系,坚持不肯。S又发现她们的血是同一类型，她就输给那太太二百CC的血。……我要她同我回来，她说那太太需要人照料，而又请不起特别护士，她必须留在那里，等到她的先生来了再走。我拗她不过，所中公务又忙，只得自己先走……三星期之后，S回来了，瘦得不成样子！原来在三星期之内，她输给那太太四百CC的血。从此便躺了下去，有时还挣扎着起来，以后就走不动了。医生发现她是得了黍形结核症，那是周身血管，都有了结核细菌，是结核症中最猛烈最无可救药的一种！病原是失血太多，操劳过度，营养不足，……这三个月中，急坏了S，苦坏了孩子，累坏了我，然而这一切苦痛，都不曾挽回我们悲惨的命运！……她生在上海，长在澳洲，嫁在北平，死在云南，享年三十二岁……

如同雷轰电掣一般，我呆住了，眼前涌现了S的冷静而含着悲哀的，抬头望月的脸！想到她那美丽整洁的家，她的安详静默的丈夫，她的聪明活泼的孩子……

忽然广场上一声降旗的号角，我不由自主的，扔了手里的信，笔直的站了起来。我垂着两臂，凝望着那一幅光彩飘扬的国旗，从高杆上慢慢的降落了下来，在号角的余音里，我无力的坐了下去，我的眼泪，不知从哪里来的，流满了我的脸上了！

我的房东

一九三七年二月八日近午，我从日内瓦到了巴黎。我的朋友中国驻法大使馆的L先生，到车站来接我。他笑嘻嘻的接过了我的一只小皮箱，我们一同向站外走着。他说："你从罗马来的信，早收到了。你吩咐我的事，我为你奔走了两星期，前天才有了眉目，真是意外之缘！吃饭时再细细的告诉你吧。"

L也是一个单身汉，我们走出站来，无"家"可归，叫了一辆汽车，直奔拉丁区的北京饭店。我们挑了个座位，对面坐下，叫好了菜。L一面擦着筷子，一面说："你的条件太苛，挑房子哪有这么挑法？地点要好，房东要好，房客要少，又要房东会英语！我知道你难伺候，谁叫我答应了你呢，只好努力吧。谁知我偶然和我们的大使谈起，他给我介绍了一位女士，她是贵族遗裔，住在最清静高贵的贵族区——第七区。我前天去见了她，也看了房子……"他搔着头，笑说："真是'有缘千里来相会'，这位小姐，绝等漂亮，绝等聪明，温柔雅澹，堪配你的为人，一会儿你自己一见就知道了。"我不觉笑了起来，说："我又没有托你做媒，何必说那些'有缘''相配'的话！倒是把房子情形说一说吧。"这时菜已来了，L还叫了酒，他举起杯来，说："请，我告诉你，这房子是在第七层楼上，正临着拿破仑殡宫那条大街，美丽幽静，自不必说。只有一个房东，也只有你一个房客！这位小姐因为近来家道中落,才招个房客来帮贴用度,房租伙食是略贵一点,我知道你这个大爷,也不在乎这些。我们吃过饭就去看吧。"

我们又谈了些闲话,酒足饭饱,L 会过了帐,我提起箱子就要走。L 拦住我,笑说:"先别忙提箱子,现在不是你要不要住那房子的问题,是人家要不要你作房客的问题。如今七手八脚都搬了去,回头一语不合,叫人家撵了出来,够多没意思!还是先寄存在这里,等下说定了再来拿吧。"我也笑着依从了他。

一辆汽车,驰过宽阔光滑的街道,转弯抹角,停在一座大楼的前面。进了甬道,上了电梯,我们便站在最高层的门边。L 脱了帽,按了铃,一个很年轻的女佣出来开门,L 笑着问:"R 小姐在家吗?请你转报一声,中国大使馆的 L 先生,带一位客人来拜访她。"那女佣微笑着,接过片子,说:"请先生们客厅里坐。"便把我们带了进去。

我正在欣赏这一间客厅连饭厅的陈设和色调,忽然看见 L 站了起来,我也连忙站起。从门外走进了一位白发盈颠的老妇人。L 笑着替我介绍说:"这位就是我同您提过的×先生。"转身又向我说:"这位是 R 小姐。"

R 小姐微笑着同我握手,我们都靠近壁炉坐下。R 小姐一面同 L 谈着话,一面不住的打量我,我也打量她。她真是一个美人!一头柔亮的白发。身上穿着银灰色的衣裙,领边袖边绣着几朵深红色的小花。肩上披着白绒的围巾。长眉妙目,脸上薄施脂粉,也淡淡的抹着一点口红。岁数简直看不出来,她的举止顾盼,有许多地方十分的像我的母亲!

R 小姐又和我攀谈,用的是极流利的英语。谈起伦敦,谈起罗马,谈起瑞士……当我们谈到罗马博物馆的雕刻,和佛劳

伦斯博物馆的绘画时，她忽然停住了，笑说："×先生刚刚来到，一定乏了，横竖将来我们谈话的机会多得很，还是先带你看看你的屋子吧。"她说着便站起引路，L在后面笑着在我耳边低声说："成了。"

我的那间屋子，就在客厅的后面，紧连着浴室，窗户也是临街开的。陈设很简单，却很幽雅，临窗一张大书桌子，桌上一瓶茶色玫瑰花，还疏疏落落的摆着几件文具。对面一个书架子，下面空着，上层放着精装的英法德各大文豪的名著。床边一张小几，放着个小桌灯，也是茶红色的灯罩。此外就是一架大衣柜，一张摇椅，屋子显得很亮，很宽。

我们四围看了一看，我笑说："这屋子真好，正合我的用处……"R小姐也笑说："我们就是这里太静一些，马利亚的手艺不坏，饭食也还可口。哪一天，你要出去用饭，请告诉她一声。或若你要请一两个客人，到家里来吃，也早和她说。衣服是每星期有人来洗……"一面说着，我们又已回到客厅里。L拿起帽子，笑说："这样我们就说定了，我相信你们宾主一定会很相得的，现在我们先走了。晚饭后×先生再回来——他还没去拜望我们的大使呢！"

我们很高兴的在大树下，人行道上并肩的走着。L把着我的臂儿笑说："我的话不假吧，除了她的岁数稍微大一点之外！大使说，推算起来，恐怕她已在六旬以外了。她是个颇有名的小说家，也常写诗。她挑房客也很苛，所以她那客房，常常空着，她喜欢租给'外路人'，我看她是在招致可描写的小说中人物，说不定哪一天，你就会在她的小说中出现！"我笑说："这个本钱，我倒是捞得回来。只怕我这个人，既非儿女，又不英雄，没有福气到得她的笔下。"

午夜，我才回到我的新屋子里，洗漱后上床，衾枕雪白温软，我望着茶红色的窗帘，茶红色的灯罩，在一圈微晕的灯影下，忽然忘记了旅途的乏倦。我赤足起来，从书架上拿了一本歌德诗集来看，不知何时，蒙眬睡去——直等第二天微雨的早晨，马利亚敲门，送进刮胡子的热水来，才又醒来。

从此我便在R家住下了。早饭很简单，只是面包牛油咖啡，多半是自己在屋里吃。早饭后就到客厅坐坐，让马利亚收拾我的屋子。初到巴黎，逛街访友，在家吃饭的时候不多，我总是早晨出去，午夜回来。好在我领了一把门钥，独往独来，什么人也不惊动。有时我在寒夜中轻轻推门，只觉得温香扑面，踏着厚软的地毡，悄悄地走回自己屋里，桌上总有信件鲜花，有时还有热咖啡或茶，和一盘小点心。我一面看着信，一面吃点心喝茶——这些事总使我想起我的母亲。

第二天午饭时，见着R女士，我正要谢谢她给我预备的"宵夜"，她却先笑着说："×先生，这半月的饭钱，我应该退还你，你成天的不在家！"我笑着坐下，说："从今天起，我要少出去了，该看的人和该看的地方，都看过了。现在倒要写点信，看点书，养养静了。"R小姐笑说："别忘了还有你的法文，L先生告诉我，你是要练习法语的。"

真的，我的法文太糟了，书还可以猜着看，话却是无人能懂！R小姐提议，我们在吃饭的时候说法语。结果是我们谈话的范围太广，一用法文说，我就词不达意，笑着想着，停了半天。次数多了，我们都觉得不方便，不约而同的笑了出来，说："算了吧，别扭死人！"从此我只顾谈话，把法语丢在脑后了！

巴黎的春天，相当阴冷，我们又都喜欢炉火，晚饭后常在R小姐的书房里，向火抽烟，闲谈。这书房是全房子里最大的一

间,满墙都是书架,书架上满是文学书。壁炉架上,摆着几件东方古董。从她的谈话里,知道她的父亲做过驻英大使——她在英国住过十五年——也做过法国远东殖民地长官——她在远东住过八年。她有三个哥哥,都不在了。两个侄子,也都在上次欧战时阵亡。一个侄女,嫁了,有两个孩子,住在乡下。她的母亲,是她所常提到的,是一位身体单薄,多才有德的夫人,从相片上看去,眉目间尤其像我的母亲。

我虽没有学到法语,却把法国的文学艺术,懂了一半。我们常常一块儿参观博物院,逛古迹,听歌剧,看跳舞,买书画……她是巴黎一代的名闺,我和她朝夕相从,没看过 R 小姐的,便传布着一种谣言,说是×××在巴黎,整天陪着一位极漂亮的法国小姐,听戏,跳舞。这风声甚至传到国内我父亲的耳朵里,他还从北平写信来问。我回信说:"是的,一点不假,可惜我无福,晚生了三十年,她已是一位六旬以上的老姑娘了!父亲,假如您看见她,您也会动心呢,她长得真像母亲!"

我早可以到柏林去,但是我还不想去,我在巴黎过着极明媚的春天——

在一个春寒的早晨,我得到国内三弟报告订婚的信。下午吃茶的时候,我便将他们的相片和信,带到 R 小姐的书房里。我告诉了她这好消息,因此我又把皮夹里我父亲,母亲,以及二弟,四弟两对夫妇的相片,都给她看了。她一面看着,很客气的称赞了几句,忽然笑说:"×先生,让我问你一句话,你们东方人不是主张'男大当婚,女大当嫁'的吗?为何你竟然没有结婚,而且你还是个长子?"我笑了起来,一面把相片收起,挪过一个锦墩,坐在炉前,拿起铜条来,拨着炉火,一面说:"问我这话的人多得很,你不是第一个。原因是,我的父母很摩登,从小,他们没有强迫我订婚或结婚。到自己大了,挑来挑去的,高不成,低不就,也就算了……”R女士凝视着我,说:“你不觉得生命里缺少什么?”我说:“这个,倒也难说,根本我就没有去找。我认为婚姻若没有恋爱,不但无意义,而且不道德。但一提起恋爱来,问题就大了,你不能提着灯笼去找!我们东方人信‘夙缘’,有缘千里来相会,若无缘呢?就是遇见了,也到不了一处……”这时我忽然忆起L君的话,不觉抬头看她,她正很自然的靠坐在一张大软椅里,身上穿着一件浅紫色的衣服,胸前戴几朵紫罗兰。闪闪的炉火光中,窗外阴暗,更显得这炉边一角,温静,甜柔……

她举着咖啡杯儿,仍在望着我。我接下去说:“说实话,我还没有感觉到空虚,有的时候,单身人更安逸,更宁静,更自由……我看你就不缺少什么,是不是?”她轻轻的放下杯子,微微的笑说:“我嘛,我是一个女人,就另是一种说法了……”说着,她用雪白的手指,挑着鬓发,轻轻的向耳后一掠,从椅旁小几上,拿起绒线活来,一面织着,一面看着我。

我说:“我又不懂了,我总觉得女人天生的是家庭建造者。男人倒不怎样,而女人却是爱小孩子,喜欢家庭生活的,为何女人倒不一定要结婚呢?”R小姐看着我,极温柔软款的说:“我是‘人性’中最‘人性’,‘女性’中最‘女性’的一个女人。我愿意有一个能爱护我的,温柔体贴的丈夫,我喜爱小孩子,我喜欢有个完美的家庭。我知道我若有了这一切,我就会很快乐的消失在里面去——但正因为,我知道自己太清楚了,我就不愿结婚,而至今没有结婚!”

我抱膝看着她。她笑说:“你觉得奇怪吧,待我慢慢的告诉你——我还有一个毛病,我喜欢写作!”我连忙说:“我知道,我

的法文太浅了，但我们的大使常常提起你的作品，我已试着看过，因为你从来没提起，我也就不敢……”R小姐拦住我，说：“你又离了题了，我的意思是一个女作家，家庭生活于她不利。”我说：“假如她能够——”她立刻笑说：“假如她身体不好……告诉你，一个男人结了婚，他并不牺牲什么。一个不健康的女人结了婚，事业——假如她有事业，健康，家务，必须牺牲其一！我若是结了婚，第一牺牲的是事业，第二是健康，第三是家务……”

——写到这里，我忽然忆起去年我一个女学生，写的一篇小说，叫做《三败俱伤》——她低头织着活计，说：“我是一个要强，顾面子，好静，有洁癖的人；在情感上我又非常的细腻，体贴；这些都是我的致命伤！为了这性格，别人用了十分心思；我就得用上百分心思，别人用了十分精力，我就得用上百分精力。一个家庭，在现代，真是谈何容易，当初我的母亲，她做一个外交官夫人，安南总督太太，真是仆婢成群，然而她……她的绘画，她的健康，她一点没有想到顾到。她一天所想的是丈夫的事业，丈夫的健康，儿女的教养，儿女的……她忙忙碌碌的活了五十年！至今我拿起她的画稿来，我就难过。嗳，我的母亲……”她停住了，似乎很激动，轻轻的咳嗽了两声，勉强的微笑说：“我母亲的事情，真够写一本小说的。你看见过英国女作家，V. Sackwille-West 写的 All Passion Spent(七情俱净)吧？”

我仿佛记得看过这本书，就点头说：“看过了，写的真不错……不过，R小姐，一个结婚的女人，她至少有了爱情。”她忽然大声的笑了起来，说：“爱情？这就是一件我所最拿不稳的东西，男人和女人心里所了解的爱情，根本就不一样。告诉你，男人活着是为事业——天晓得他说的是事业还是职业！女人活着才为着爱情；女人为爱情而牺牲了自己的一切，而男人却说：

‘亲爱的,为了不敢辜负你的爱,我才更要努力我的事业’!这真是名利双收!”她说着又笑了起来,笑声中含着无限的凉意。

我不敢言语,我从来没有看见R小姐这样激动过,我虽然想替男人辩护,而且我想我也许不是那样的男人。

她似乎看出了我的心绪,她笑着说:“每一个男人在结婚以前,都说自己是个例外,我相信他们也不说假话。但是夫妻关系,是种最娇嫩最伤脑筋的关系,而时光又是一件最无情最实际的东西。等到你一做了他的同衾共枕之人,天长地久……呵!天长地久!任是最坚硬晶莹的钻石也磨成了光彩模糊的沙颗,何况是血淋淋的人心?你不要以为我是生活在浪漫的幻想里的人,我一切都透彻,都清楚。男人的‘事业’当然要紧,讲爱情当然是不应该抛弃了事业,爱情的浓度当然不能终身一致。但是更实际的是,女人终究是女人,她也不能一辈子,以结婚的理想,人生的大义,来支持她困乏的心身。在她最悲哀,最柔弱,最需要同情与温存的一刹那顷,假如她所得到的只是漠然的言语,心不在焉的眼光,甚至于尖刻的讥讽和责备,你想,一个女人要如何想法?我看的太多了,听的也太多了。这都是婚姻生活里解不开的死结!只为我太知道,太明白了,在决定牺牲的时候,我就要估量轻重了!”

她俯下身去,拣起一根柴,放在炉火里,又说:“我母亲常常用忧愁的眼光看着我说:‘德利莎!你看你的身体!你不结婚,将来有谁来看护你?’我没有说话,我只注视着她,我的心里向她叫着说:‘你看你的身体吧,你一个人的病,抵不住我们五个人的病。父亲的肠炎,回归热……以及我们兄妹的种种希奇古怪的病……三十年来,还不够你受的?’但我终究没有言语。”

她微微的笑了,注视着炉火:“总之我年轻时还不算难看,

地位也好,也有点才名,因此我所受的试探,我相信也比别的女孩子多一点。我也曾有过几次的心软……但我都终于逃过了。我是太自私了,我扔不下这支笔,因着这支笔,我也要保持我的健康,因此——

“你说我缺少恋爱吗?也许,但,现在还有两三个男人爱慕着我,他们都说我是他们唯一终身的恋爱。这话我也不否认,但这还不是因为我们没有到得一处的缘故?他们当然都已结过了婚,我也认得他们温柔能干的夫人。我有时到他们家里去吃饭喝茶,但是我并不羡慕他们的家庭生活!他们的太太也成了我的好朋友,有时还向我抱怨她们的丈夫。我一面轻描淡写的劝慰着她们,我一面心里也在想,假如是我自己受到这些委屈,我也许还不会有向人诉说的勇气!有时在茶余酒后,我也看见这些先生们,向着太太皱起眉头,我就会感觉到一阵颤栗,假如我做了他的太太,他也对我皱眉,对我厌倦,那我就太……”

我笑了,极恳挚的轻轻拍着她的膝头,说:“假如你做了他的太太,他就不会皱眉了。我不相信世界上有任何男子,有福气做了你的丈夫,还会对你皱眉,对你厌倦。”她笑着摇了摇头,微微的叹一口气,说:“好孩子,谢谢你,你说得好!但是你太年轻了,不懂得——这二三十年来,我自己住着,略为寂寞一点,却也舒服。这些年里,我写了十几本小说,七八本诗,旅行了许多地方,认识了许多朋友。我的侄女,承袭了我的名字,也叫德利莎,上帝祝福她!小德利莎是个活泼健康的孩子,廿几岁便结了婚。她以恋爱为事业,以结婚为职业。整天高高兴兴的,心灵里,永远没有矛盾,没有冲突。她的两个孩子,也很像她。在夏天,我常常到她家里去住。她进城时,也常带着孩子来看我。我身后,这些书籍古董,就都归她们了。我的遗体,送到国家医院去解剖,以后再行火化,余灰撒在塞纳河里,我的一生大事也就完了……"

我站了起来,正要说话,马利亚已经轻轻的进来,站在门边,垂手说:"小姐,晚饭开齐了。"R小姐吃惊似的,笑着站了起来,说:"真是,说话便忘了时候,×先生,请吧。"

饭时,她取出上好的香槟酒来,我也去拿了大使馆朋友送的名贵的英国纸烟,我们很高兴的谈天说地,把刚才的话一句不提。那晚R小姐的谈锋特别隽妙,双颊飞红,我觉得这是一种兴奋,疲乏的表示。饭后不多一会,我便催她去休息。我在客厅门口望着她迟缓秀削的背景,呆立了一会。她真是美丽,真是聪明!可惜她是太美丽,太聪明了!

十天后我离开了巴黎,L送我到了车站。在车上,我临窗站到近午,才进来打开了R小姐替我预备的筐子,里面是一顿很精美的午餐,此外还有一瓶好酒,一本平装的英文小说,是All Passion Spent。

我回国不到一月,北平便沦陷了。我还得到北平法国使馆转来的R小姐的一封信,短短的几行字:

×先生:

听说北平受了轰炸,我无时不在关心着你和你一家人的安全!振奋起来吧,一个高贵的民族,终久是要抬头的。有机会请让我知道你平安的消息。

你的朋友　德利莎

我写了回信,仍托法国使馆转去,但从此便不相通问了。

三年以后,轮到了我为她关心的时节,德军进占了巴黎,当

我听到巴黎冬天缺乏燃料，要家里住有德国军官才能领到煤炭的时候，我希望她已经逃出了这美丽的城市。我不能想象这静妙的老姑娘，带着一脸愁容，同着德国军官，沉默向火！

"振奋起来吧，一个高贵的民族，终久是要抬头的！"

我 的 邻 居

M 太太是我的同事的女儿,也做过我的学生,现在又是我的邻居。

我头一次看见她,是在她父亲的家里——那年我初到某大学任教,照例拜访了几位本系里的前辈同事——她父亲很骄傲的将她介绍给我,说:“×先生,这是我的大女儿,今年十五岁了。资质还好,也肯看书,她最喜欢外国文学,请你指教指教她。”

那时 M 太太还是个小姑娘,身材瘦小,面色苍白,两条很粗的短发辫,垂在脑后。说起话来很腼腆,笑的时候却很“甜”,不时的用手指去托她的眼镜。

我同她略谈了几句,提起她所已看过的英国文学,使我大大的吃惊!例如:哈代的全部小说集,她已看了大半;她还会背诵好几首英国十九世纪的长诗……她父亲又很高兴的去取了一个小纸本来,递给我看,上面题着“露珠”,是她写的仿冰心《繁星》体的短篇诗集,大约有二百多首。我略翻了翻,念了一两首,觉得词句很清新,很莹洁,很像一颗颗春晨的露珠。

我称赞了几句,她父亲笑说:“她还写小说呢——你去把那本小说拿来给×先生看!”她脸红了说:“爸爸总是这样!我还没写完呢。”一面掀开帘子,跑了出去,再不进来。她父亲笑对我说:“你看她惯的一点规矩都没有了!我的这几个孩子,也就

是她还聪明一点,可惜的是她身体不大好。"

一年以后,她又做了我的学生。大学一年级的班很大,我同她接触的机会不多,但从她做的文课里,看出她对于文学创作,极有前途;她思想缜密,描写细腻,比其他的同学,高出许多。

此后因为我做了学生会出版组的顾问,她是出版组的重要负责人员,倒是常有机会谈话。几年来的一切进步都很快,她的文章也常常在校外的文学刊物上出现,技术和思想又都比较成熟,在文学界上渐渐的露了头角。

大学毕业后,她便同一位 M 先生结了婚。M 先生也是一位作家——他们婚后就到南京去,有七八年我没有得到直接的消息。

抗战后一年,我到了昆明。朋友们替我找房子,说是有一位 M 教授的楼上,有一间房子可以分租,地点也好,离学校很近。我们同去一看,那位 M 太太原来就是那位我的同事的女儿;相见之下,十分欢喜。那房子很小,光线也不大好,只是从高高的窗口,可以望见青翠的西山。M 家还有一位老太太,四个孩子,一个挨一个的,最小的不过有两岁左右。M 太太比从前更苍白了,一瘦就显得老,她仿佛是三十以外的人了。

说定了以后,我拿了简单的行李,一小箱书,便住到 M 家的楼上。那天晚上,便见着 M 先生,他也比从前瘦了,性情更显得急躁,仿佛对于一切都觉得不顺眼。他带着三个大点的孩子,在一盏阴暗的煤油灯下,吃着晚饭。老太太在厨房里不知忙些什么。M 太太抱着最小的孩子,出出进进,替他们端菜盛饭,大家都不大说话。我在饭桌旁边。勉强坐了一会,就上楼去了。

住了不到半个月,我便想搬家,这家庭实在太不安静了,而且阴沉得可怕! 这几个孩子,不知道是因为营养不足,还是其他的缘故,常常哭闹。老太太总是叨叨唠唠的,常对我抱怨 M 太太什么都不会。M 先生晚上回来,才把那些哭声怨声压低了下去,但顿时楼下又震荡着他的骂孩子,怪太太,以及愤时忧世的怨怒的声音。他们的卧室,正在我的底下,地板坏了,逗不上笋来。我一个人,总是静悄悄的,而楼下的声音,却是隐约上腾,半夜总听见喳喳嘁嘁的,"如哭如诉",有时忽然听见 M 先生使劲的摔了一件东西,生气的嚷着,小孩子忽然都哭了起来,我就半天睡不着觉!

正在我想搬家的那一天早晨,走到楼下,发现屋里静悄悄的,没有一个人。我叫了一声,看见 M 太太扎煞着手,从厨房里出来。她一面用手背掠开了垂拂在脸上的乱发,一面问:"×先生有事吗?他们都出去了。"我知道这"他们"就是老太太同 M 先生了,我就问:"孩子们呢?"她说:"也出去了,早饭没弄得好,小菜又没有了,他们说是出去吃点东西。"她嘴唇颤动着惨笑了一下,说:"我这个人真不中用,从小就没学过这些事情。母亲总是说:'几毛钱一件的衣工,一两块钱一双皮鞋,这年头女孩子真不必学做活了,还是念书要紧,念出书来好挣钱,我那时候想念书,还没有学校呢。'父亲更是由着我,我在家里简直没有进过厨房……您看我生火总是生不着,反弄了一厨房的烟!"说着又用乌黑的手背去擦眼睛。我来了这么几天,她也没有跟我说过这么多的话。我看她的眼睛又红又肿,声音也哑着,我知道她一定又哭过,便说:"他们既然出去吃了,你就别生火吧。你赶紧洗了手,我楼上有些点心,还有罐头牛奶,用暖壶里的水冲了就可吃,等我去取了来。"我不等她回答便向楼上走,她含着泪站在楼梯边呆望着我。

M 太太一声不言语的,呆呆的低头调着牛奶,吃着点心。

过了半天,我就说:“昆明就是这样好,天空总是海一样的青!你记得卜朗宁夫人的诗吧……”正说着,忽然一声悠长的汽笛,惨厉的叫了起来,接着四方八面似乎都有汽笛在叫,门外便听见人跑。M太太倏的站了起来,颤声说:“这是警报!孩子们不知都在哪里?”我也连忙站起来,说:“你不要怕,他们一定就在附近,等我去找。”我们正往门外走,老太太已经带着四个孩子,连爬带跌的到了门前,原来M先生说是学校办公室里还有文稿,他去抢救稿子去了,却把老的小的打发回家来!

我帮着M太太把小的两个抱起,M太太看着我,惊慌地说:“×先生,我们要躲一躲吧?”我说:“也好,省得小孩子们害怕。”我们胡乱收拾点东西,拉起孩子,向外就走。忽然老太太从屋里抱着一个大蓝布包袱,气急败坏的一步一跌的出来,嘴里说:“别走,等等我!”这时头上已来了一阵极沉重的隆隆飞机声音。我抬头一看,蔚蓝的天空里,白光闪烁,九架银灰色的飞机,排列着极整齐的队伍,稳稳的飞过。一阵机关枪响之后,紧接着就是天塌地陷似的几阵大声,门窗震动。小孩子哇的一声,哭了起来,老太太已瘫倒在门边。这时我们都挤在门洞里,M太太面色惨白,紧紧的抱着几个孩子,低声说:“莫怕莫怕。×先生在这里!”我一面扶起老太太,说:“不要紧了,飞机已经过去了。”正说着街上已有了人声,家家门口有人涌了出来,纷纷的惊惶的说话。M太太站起拍拍衣服,拉着孩子也出到门口。我们站着听了一会,天上已经没有一点声息。我说:“我们进去歇歇吧,敌机已经去了。”M太太点了点头,我又帮她把孩子抱回屋去,自己上得楼来;刚刚坐定,便听见M先生回来;他一进门就大声嚷着:“好,没有一片干净土了,还会追到昆明来!我刚抱出书包来,那边就炸了,这班鬼东西!”

从那天起，差不多就天天有警报。M先生却总是警报前出去，解除后才回来，还抱怨家里没有早预备饭。M太太一声儿不言语，肿着眼泡，低头出入。有时早晨她在厨房里，看见我下楼打脸水，就怯怯的苦笑问："×先生今天不出去吧？"我总说："不到上课的时候，我是不会走的，你有事叫我好了。"

老太太不肯到野外去，怕露天不安全，她总躲在城墙边一个防空洞里。我同M太太就带着孩子跑到城外去。我们选定了一片大树下，壕沟式的一块地方，三面还有破土墙挡着。孩子们逃警报也逃惯了，他们就在那壕沟里盖起小泥瓦房子，插起树枝，天天继续着工作。最小的一个，往往就睡在母亲的手臂上，我有时也带着书去看。午时警报若未解除，我们就在野地里吃些干点充饥。

坐在壕沟里无聊，就闲谈。从M太太零碎的谈话里，我猜出她的许多委屈。她从来不曾抱怨过任何人，连对那几个不甚讨人喜欢的孩子，她也不曾表示过不满。她很少提起家里的事，可是从她们的衣服饮食上，我知道她们是很穷困的。眼看着她一天一天的憔悴下去，我就想帮她一点忙。有一次我就问她愿不愿去教书，或是写几篇文章，拿点稿费。家务事有老太太照管，再雇个佣人，也就可以做得开了，她本来不喜欢做那些杂务，何必不就"用其所长"？

M太太盘着腿坐在地上，抱着孩子，轻轻的摇动，静静的听着，过了半天才抬起头来，说："×先生，谢谢你的关怀，这些事我都早已想过了，我刚来的时候，也教过书，学校里对于我，比对我的先生还满意。"说到这里，她微笑了，这是我近来第一次见到的笑容！她停了一会说："后来不知如何，他就反对我出去教书……老太太也说那几个孩子，她弄不了，我就又回到家

里来。以后就有几个朋友同事,来叫我写稿子。×先生,你知道我从小喜欢写文章,尤其是现在,我一拿起笔,一肚子的……一肚子的事,就奔涌了出来。眼前一切就都模糊恍惚,在写作里真可以逃避了许多现实……”她低头玩弄着孩子襟上的纽扣,微微的叹了一口气,说:“但是现实还是现实,一声孩子哭,一个客人来,老太太说东说西,老妈子问长问短,把我的文思常常忽然惊断,许久许久不能再拿起笔来。而且——写文章实在要心境平静,虽然不一定要快乐,而我现在呢?不用说快乐,要平静也就很难很难的了!

“写了两篇文章,我的先生最先发现写文章卖钱,是得不偿失!稿费增加和工资增加的速度,几乎是一与百之比,衣工,鞋价,更不必说。靠稿费来添置孩子衣服,固然是梦想,写五千字的小说,来换一双小鞋子,也是不可能。没有了鼓励,没有了希望,而写文章只引起自己伤心,家人责难的时候,我便把女工辞退了。其实她早就要走——我们家钱少,孩子多,上人脾气又不大好,没有什么事使她留恋的,不像我……我是走不脱的!

“我生着火,拣着米,洗着菜,缝着鞋子,补着袜子,心里就象枯树一般的空洞,麻木。本来,抗战时代,有谁安逸?能安逸的就不是人;我不求安逸,我相信我虽没有学过家务,我也能将就的做,而且我也不怕做,劳作有劳作的快乐,只要心里能得到一点慰安,温暖……

“我没有对任何人说过任何言语,自己苦够了,这万方多难的年头,何必又增加别人的痛苦?对我的父母,我是更不说的。父亲从北方来信,总是说:‘南国浓郁明艳的风光,不知又添了你多少诗料,为何不寄点短诗给爸爸看?’最近不知是谁,向他们报告了这里的实况,母亲很忧苦的写了信来,说:‘我不知道你们那里竟是这个样子！老太太总该可以帮帮忙吧？早知如此，我当初不该由着你读书写字，把身体弄坏了，家事也一点不会。'她把自己抱怨了一顿，我看了信，真是心如刀割。我自己痛苦不要紧，还害得父亲为我失望，母亲为我伤心，×先生，这真是《琵琶记》里蔡中郎所说的'文章误我，我误爹娘'了！"她说着忍不住把孩子推在一边，用衣襟掩着脸大哭了起来。孩子们也许看惯了妈妈的啼哭，呆立了一会，便慢慢走开，仍去玩耍。我呢，不知道怎样劝她，也想她在家里整天的凄凉掩抑，在这朗阔的野外，让她恣情的一恸，倒也是一种发泄，我也便悄悄的走向一边……

我真不想再住下去了，那时学校里已放了暑假。城墙边的防空洞曾震塌了一次，压伤了许多人，M老太太幸而无恙。我便撺掇他们疏散到乡下去。我自己也远远的搬到另一乡村里的祠堂里住下——在那里，我又遇到了一个女人！

张　嫂

可怜，在“张嫂”上面，我竟不能冠以“我的”两个字，因为她不是我的任何人！她既不是我的邻居，也不算我的佣人，她更不承认她是我的朋友，她只是看祠堂的老张的媳妇儿。

我住在这祠堂的楼上，楼下住着李老先生夫妇，老张他们就住在大门边的一间小屋里。

祠堂的小主人，是我的学生，他很殷勤的带着我周视祠堂前后，说：“这里很静，×先生正好多写文章。山上不大方便，好在有老张他们在，重活叫他做。”老张听见说到他，便从门槛上站了起来，露着一口黄牙向我笑。他大约四十上下年纪，个子很矮，很老实的样子。我的学生问：“张嫂呢？”他说：“挑水去了。”那学生又陪我上了楼，一边说：“张嫂是个能干人，比她老板伶俐得多，力气也大，有话宁可同她讲。”

为着方便，我就把伙食包在李老太太那里，风雨时节，省得下山，而且村店里苍蝇太多，夏天尤其难受。李老夫妇是山西人，为人极其慈祥和蔼。老太太自己烹调，饭菜十分可口。我早晨起来，自己下厨房打水洗脸，收拾房间，不到饭时，也少和他们见面。这一对老人，早起早睡，白天也没有一点声音，院子里总是静悄悄的，同城内 M 家比起来，真有天渊之别，我觉得十分舒适。

住到第三天，我便去找张嫂，请她替我洗衣服。张嫂从黑暗的小屋里，钻了出来，阳光下我看得清楚：稀疏焦黄的头发，高高的在脑后挽一个小髻，面色很黑，眉目间布满了风吹日晒的裂纹；嘴唇又大又薄，眼光很锐利；个子不高，身材也瘦，却有一种短小精悍之气。她迎着我，笑嘻嘻的问："你家有事吗？"我说："烦你洗几件衣服，这是白的，请你仔细一点。"她说："是了，你们的衣服是讲究的——给我一块洋碱！"

李老太太倚在门边看，招手叫我进去，悄悄的说："有衣服宁可到山下找人洗，这个女人厉害得很，每洗一次衣服，必要一块胰皂，使剩的她都收起来卖——我们衣服都是自己洗。"我想了一想，笑说："这次算了，下次再说吧。"

第二天清早，张嫂已把洗好的衣服被单，送了上来——洗的很洁白，叠的也很平整——一摞的都放在我的床上，说："×先生，衣服在这里，还有剩下的洋碱。"我谢了她，很觉得"喜出望外"，因此我对她的印象很好。

熟了以后，她常常上楼来扫地，送信，取衣服，倒纸篓。我的东西本来简单，什么东西放在哪里她都知道。我出去从不锁门，却不曾丢失过任何物件，如银钱，衣服，书籍等等。至于火柴，点心，毛巾，胰皂，我素来不知数目，虽然李老太太说过几次，叫我小心，我想谁耐烦看守那些东西呢？拿去也不值什么，张嫂收拾屋子，干净得使我喜欢，别的也无所谓了。

张嫂对我很好，对李家两老，就不大客气。比方说挑水，过了三天两天就要涨价，她并不明说，只以怠工方式处之。有一两天忽然看不见张嫂，水缸里空了，老太太就着急，问老张："你家里呢？"他笑说："田里帮工去了。"叫老张，"帮忙挑一下水吧。"他答应着总不动身。我从楼上下来，催促了几遍，他才慢

腾腾的挑起桶儿出去。在楼栏边,我望见张嫂从田里上来,和老张在山脚下站着说了一会话。老张挑了两桶水,便躺了下去,说是肚子痛。第二天他就不出来。老先生气了,说:“他们真会拿捏人,他以为这里就没有人挑水了!我自己下山去找!”老先生在茶馆里坐了半天,同乡下人一说起来,听说是在山上,都摇头笑说:“山上呢,好大的坡儿,你家多出几个钱吧!”等他们一说出价钱,老先生又气得摇着头,走上山来,原来比张嫂的价目还大。

我悄悄的走下山去,在田里找到了张嫂,我说:“你回去挑桶水吧,喝的水都没有了。”她笑说:“我没有空。”我也笑说:“你别胡说!我懂得你的意思,以后挑水工钱跟我要好了,反正我也要喝要用的。”她笑着背起筐子,就跟我上山——从此,就是她真农忙,我们也没有缺过水,——除了她生产那几天,是老张挑的。

我从不觉得张嫂有什么异样,她穿的衣服本来宽大,更显不出什么。只有一天,李老太太说:“张嫂的身子重了,关于挑水的事,您倒是早和老张说一声,省得他临时不干。”我也不知道应当如何开口,刚才还看见张嫂背着一大筐的豆子上山,我想一时不见得会分娩,也就没提。

第二天早起,张嫂没有上来扫地。我们吃早饭的时候,看见老张提着一小篮鸡蛋进门。我问张嫂如何不见?他笑嘻嘻的说:“昨晚上养了一个娃儿!”我们连忙给他道贺,又问他是男是女。李老太太就说:“他们这些人真本事,自己会拾孩子。这还是头一胎呢,不声不响的就生下来了,比下个蛋还容易!”我连忙上楼去,用红纸包了五十块钱的票子,交给老张,说:“给张嫂买点红糖吃。”李老太太也从屋里拿了一个红纸包出去,老张笑嘻嘻的都接了,嘴里说:“谢谢你家了——老太太去看看娃儿吗?”李老太太很高兴的就进到那间黑屋里去。

我同李老先生坐在堂屋里闲谈。老太太一边摇着头,一边笑着,进门就说:“好大的一个男孩子,傻大黑粗的!你们猜张嫂在那里做什么?她坐在床板上织渔网呢,今早五更天生的,这么一会儿的工夫,她又做起活来了。她也不乏不累,你说这女人是铁打的不是!”因此就提到张嫂从十二岁,就到张家来做童养媳,十五岁圆的房。她婆婆在的时候,常常把她打的躲在山洞里去哭。去年婆婆死了,才同她良懦的丈夫,过了一年安静的日子,算起来,她今年才廿五岁。

这又是一件出乎我意外的事,我以为她已是三四十岁的人,“劳作”竟把她的青春,洗刷得不留一丝痕迹!但她永远不发问,不怀疑,不怨望。日出而作,日入而息——挑水,砍柴,洗衣,种地,一天里风车儿似的,山上山下的跑——只要有光明照在她的身上,总是看见她在光影里做点什么。有月亮的夜里,她还打了一夜的豆子!

从那天起,一连下了五六天的雨。第七天,天晴了,我们又看见张嫂背着筐子,拿着镰刀出去。从此我们常常看见老张抱着孩子,哼哼唧唧的坐在门洞里。有时张嫂回来晚了,孩子饿得不住的哭,老张就急得在门口转磨。我们都笑说:“不如你下地去,叫她抱着孩子,多省事。她回来又得现做饭,奶孩子,不要累死人。”老张摇着头笑说:“她做得好,人家要她,我不中用!”老张倒很坦然,我却常常觉得惭愧。每逢我拿着一本闲书,悠然的坐在楼前,看见张嫂匆匆的进来,忙忙的出去,背上,肩上,手里,腰里,总不空着,她不知道她正在做着最实在,最艰巨的后方生产的工作。我呢,每逢给朋友写信,字里行间,总要流露出劳乏，流露出困穷，流露出萎靡，而实际的我，却悠悠的坐在山光松影之间，无病而呻！看着张嫂高兴勤恳的，鞠躬尽瘁的样儿，我常常猛然的扔下书站了起来。

那一天，我的学生和他一班宣传队的同学，来到祠堂门口贴些标语，上面有“前方努力杀敌，后方努力生产”等字样。张嫂站在人群后面，也在呆呆望着。回头看见我，便笑嘻嘻的问：“这上面说的是谁？”我说：“上半段说的是你们在前线打仗的老乡，下半段说的是你。”她惊讶的问：“×先生，你呢？”我不觉低下头去，惭愧的说：“我吗？这上面没有我的地位！”

我的朋友的母亲

今年春天，正在我犯着流行性感冒的时候，K 的母亲——K 老太太来看我。

那是下午三时左右，我的高热度还未退清，朦朦胧胧的觉得有人站在我床前，我挣扎着睁开眼睛，K 老太太含着满脸的微笑，摇手叫我别动，她自己拉过一张凳子，就坐在床边，一面打开一个手绢包儿，一面微笑说："我听见 K 说你病了好几天了，他代了你好几堂课。我今天新蒸了一块丝糕，味儿还可口，特地送来给你尝尝。"她说着就把一碟子切成片儿嫩黄喷香上面嵌着红枣的丝糕，送到我枕畔。我连忙欠身起来道谢，说："难得伯母费心。"一面又喊工友倒茶。K 老太太站起来笑说："你别忙了，我刚才来的时候，甬道里静悄悄的没有一个人。这时候大家都上着课，你再一病倒睡着，他们可不就都偷懒出去了？我要茶自己会倒！"她走向桌边，拿起热水壶来，摇了摇，笑说："没有开水了，我在家里刚喝了茶来的，倒是你恐怕渴了，我出去找点水你喝。"我还没有来得及拦住她，她已经拿着热水壶出去了。

我赶紧坐起，把衾枕整理了一下，想披衣下床，一阵头昏，只得又躺下去。K 老太太又已经进来，倒了一杯热茶，放在我床前凳子上，我笑着谢说："这真是太罪过了，叫老太太来服侍

我——”K老太太一面坐下,也笑着说:“哪里的话,这是我应该做的事。你们单身汉真太苦了,病了连一杯热水都喝不到!你还算好,看你这屋子弄得多么干净整齐,K就不行,他一辈子需要人照应,母亲,姐姐,太太——”我说:“K从小是个有福气的人——他太太近来有信么?”

老太太摇了摇头,忽然看着我说:“F小姐从军去了,今早我去送她的……”

我不觉抬头看着K老太太。

K老太太微笑着叹了一口气,把那块手绢平铺在膝上,不住的摩抚着,又抬头看着我说:“你和K这样要好,这件事你一定也知道了。说起F小姐,真是一个温柔的女子,性格又好,模样儿也不错,琴棋书画,样样都来得,和K倒是天生一对!——不过我觉得假若由他们那样做了,我对不起我北平那个媳妇,和三个孙儿。”

我没有言语,只看着老太太。

老太太面容沉寂了下来,“我知道K什么事都不瞒你,我倒不妨同你细谈——假如你不太累。K这两天也不大开心呢,你好了请你从旁安慰安慰他。”

我连忙点了点头,说:“那是一定。K真是一个实心的人,什么事都不大看得开!”

老太太说:“可不是!他从前不是在法国同一个女孩子要好,没有成功,伤心的了不得,回国来口口声声说是不娶了,我就劝他,我说:‘你父亲早撇下我走了,我辛苦半生,好容易把你和你姊姊抚养大了,你如今学成归国,我满心希望你成家立业,不但我看着高兴,就是你父亲在天之灵,也会安慰的。你为着一个异种外邦的女人,就连家庭也不顾了,亏得你平常还那样孝顺！本来结婚就不是一个人的事，你的妻子也就是你父母的儿媳，你孩子的母亲。你不要媳妇我还要孙子呢，而且你还是个独子！'他就说：'那么您就替我挑一个吧，只要您高兴就行。'这样他就结了婚，那天你不是还在座？"

我又点一点头，想起了许多K的事情。

"提起我的媳妇，虽不是什么大出色的人物，也还是个师范毕业生，稳稳静静的一个人，过日子，管孩子，也还过得去。我对她是满意的，何况她还替我生了三个白白胖胖的孙儿？"

老太太微笑了，满面的慈祥，凝望的眼光中似乎看见了K的那几个圆头圆脸，欢蹦乱跳的孩子。

"K也是真疼他那几个孩子，有了孩子以后，他对太太也常是有说有笑的。你记得我们北平景山东街那所房子吧？真是'天棚鱼缸石榴树'，K每天下课回来，浇浇花，看看鱼，画画，写字，看看书，抱抱孩子，真是很自得的，我在一旁看着，自然更高兴，这样过了十年——其实那时候，F小姐就已经是他的助教了，他们并没有怎么样……

"后来呢，就打起仗来了，学校里同事们都纷纷南下，也有带着家眷走的。那时也怪我不好，我不想走，我抛不下北平那个家，我又不愿意他们走，我舍不得那几个孩子。我对K说：'我看这仗至多打到一两年，你是有职分的人，暂时走开也好，至于孩子们和他们的母亲，不妨留着陪我，反正是一门老幼，日本人不会把我们怎么样。'K本来也不想带家眷，听了我的话，就匆匆的自己走了，谁知道一离开就是八年。

"我们就关起门来，和外面不闻不问，整天只盼着K的来信，这样的过了三四年。起先还能接到K的信和钱，后来不但信稀了，连拨款也十分困难。我那媳妇倒是把持得住，仍旧是

稳稳静静的服侍着我,看着孩子过日子,我手里还有些积蓄,家用也应付得开。三年前我在北平得到K的姐夫从香港打来的电报,说是我的女儿病重,叫我就去,我就匆匆的离开了北平,谁想到香港不到十天,我的女儿就去世了……"

老太太眼圈红了,折起那块手绢来,在眼边轻轻的按了一按,我默默的将那杯茶推到她的面前。

老太太勉强笑了笑,端起茶杯来,呷了一口就又放下。

"谁又知道我女儿死后不过十天,日本人又占领了香港,我的女婿便赶忙着要退到重庆来,他问我要不要回北平?若是要回去呢,他就托人带我到上海。我那时方寸已乱,女儿死了,儿子许久没有确实消息,只听过往的人说他在重庆生活很苦,也常生病,如今既有了见面的可能,我就压制不住了。我对我女婿说:'我还是跟你走吧,后方虽苦,可是能同K在一起。北平那方面,你弟妇还能干,丢下他们一两年也不妨。'这样,我又从韶关,桂林,贵阳,一路跋涉到了这里……

"看见了K,我几乎哭了出来,谁晓得这几年的工夫,把我的儿子折磨得形容也憔悴了,衣履也褴褛了!他看见我,意外的欢喜,听到他姐姐死去的消息,也哭了一场。过后才问起他的孩子,对于他的太太却淡淡的不提,倒是我先说了几句。问起他这边的生活,他说和大家一样,衣食住都比从前苦得多,不过心理上倒还痛快。说到这时,他指着旁边的F小姐,说:'您应当谢谢F小姐,这几年来,多亏得她照应我。'我这时才发觉她一直站在我们旁边。

"F小姐也比从前瘦了,而似乎出落得更俊俏一些,她略带羞涩的和我招呼,问起她在北平的父母。我说我在北平的时候,常和他们来往,他们都老了一点,生活上还过得去……说了一会,F 小姐便对 K 说:'请老太太和我们一块儿用饭吧?'K 点头说好,我们就一同到 F 小姐住处去。

"在我找到房子以前,就住在 F 小姐那里,她住着两间屋子,用着一个女工,K 一向是在那里用饭的,衣服也在那边洗。我在那边的时候,K 自然是整天同我们在一起,到晚上才回到宿舍去。我在一旁看着,觉得他们很亲密,很投机,一块儿读书说画,F 小姐对于 K 的照应体贴,更是无微不至。他们常常同我说起,当初他们一路出来,怎样的辛苦,危险;他们怎样的一块逃警报,有好几次几乎炸死;K 病了好几场,有一次患很重的猩红热,几乎送了命。这些都是 K 的家信中从来不提的,他们说起这些经历的时候,都显着很兴奋,很紧张,K 也总以感激温存的眼光,望着 F 小姐。我自然也觉得紧张,感激,而同时又起一种说不上来的不安的情绪。

"等到我搬了出来,便有许多 K 的同事的太太,来访问我,吞吞吐吐的问我 K 的太太为何不跟我一同出来?我说本来是只到香港的,因此也没想到带着他们。这些太太们就说:'如今老太太来了就好了,否则 K 先生一个人在这里真怪可怜的——这年头一个单身人在外面真不容易,生活太苦,而且……而且人们也爱说闲话!'她们又问 F 小组和我们有没有亲戚关系?她的身世如何?我就知道话中有因,也就含含糊糊的应答,说 F 家同我们是世交,F 小姐从一毕业就做着 K 的助教,她对人真好,真热心。她对于 K 的照应帮忙,我是十分感激的。

"不过我不安的情绪,始终没有离开我,我总惦记着北平那些孩子,我总憋着想同 K 说开了,所以就趁着有一天,我们的女工走掉了,K 向我提议说:'妈妈不必自己辛苦了,我们还是和 F 小姐一块儿吃去吧,就是找到了女工,以后也不必为饭食

麻烦,合起来吃饭,是最合理的事。'我就说:'我难道不怕麻烦,而且我岁数大了,又历来没有做过粗活,也觉得十分劳瘁,不过我宁可自己操劳些,省得在一起让人说你们的闲话!'K睁着大眼看着我,我便委婉的将人们的批评告诉了他,又说:'我深知你们两个心里都没有什么,抗战把你们拉在一起,多同一次患难,多添一层情感。你是有家有孩子的人,散了就完了,人家F小姐一个多才多艺的女子,岂不就被你耽误了?'K低着头没有说什么,从那时起,一直沉默了四五天。

"到了第六天的夜里,我已经睡下了,他摸着黑进来,坐在我的床沿上,拉着我的手,说:'妈妈,我考虑了四五天,我不能白白的耽误人家。我相信我们分开了,是永远不会快乐的,我想——我想同北平那个离了婚……'我没有言语,他也不往下说,过了半天,他俯下来摇我,急着说:'怎么,妈妈,您在哭?'我忍不住哭了出来,说:'我哭的是可怜你们这一班苦命的人,你命苦,F小姐也命苦,最苦命的还是北平你那个媳妇和三个孩子。他们没有对不起任何人,他们辛辛苦苦的在北平守着,等待着团圆的一天。我走了,算不了什么,就是苦命,也过了一辈子了,你若是……还是我回去守着他们吧!'这时K也哭了,紧紧握了我的手一下,就转身出去。"

老太太咽住了,又从袖口里掏手绢,我赶紧笑说:"对不起,伯母,请您给我一杯水,这丝糕放在这里怪香的,我想吃一块。"老太太含着泪笑着站起,倒了两杯茶来,我们都拈起丝糕来吃着,暂时不言语。

老太太咳嗽了一声,用手绢擦一擦嘴,说:"我想了一夜,第二天一早,我就去看F小姐。她正要上课去,看见了我,脸上显出十分惊讶,我想我的神色一定很不好,我说:'对不住,我想耽误你半天工夫,来同你谈一件事,'她的面色倏然苍白了,连忙回身邀我进到内屋去,把门扣上,自己就坐在我的旁边,静静的等着。我停了半天,忍不住又哭了,我说:'F 小姐,我不会绕弯儿说话,听说 K 想同你结婚?'F 小姐把脸飞红了,正要说话,我按住她的手,说:'你别着急,这自然是 K 一方面的痴心妄想,不是我做母亲的夸自己的儿了,K 和你倒是天生的一对,可惜的是他已经是有妻有子的人了……'F 小姐没有说话,只看着我。我说:'自然现在有妻有子的人离婚的还多得很,不过,K 你是晓得的,极其疼爱他的孩子,同时他太太也没有对不起他的地方。'F 小姐低下头去,我又说:'F 小姐,你从小我就疼你,佩服你,假如你是我的亲女儿,我决不愿你和一个离过婚的人结婚,在他是一个幸福,在你却太不值得了。'我抚摩着她的手,说:'你想想,从前在北平的时候,你还不是常常到我们家里来?你对他发生过感情没有?我准知道那时你的理想,也不是像他那样的人。只因打了仗,你们一同出来,患难相救护,疾病相扶持,这种同甘苦,相感激的情感的积聚,便发生了一种很坚固的友情——同时大家想家,大家寂寞,这孤寂的心,就容易拉到一起,战争延长到七八年,还家似乎是不可能的事,家里一切,一天一天的模糊,眼前一切,一天一天的实在。弄到后来,大家弄假成真的,在云雾中过着苟安昏乐的日子——等到有一天,雨过天晴,太阳冲散了云雾,日影下,大家才发现在糊里糊涂之中,丧失了清明正常的自己!'

"'你看见过坐长途火车的没有?世界小,旅途长,素不相识的人也殷勤的互相自己介绍,亲热的叙谈,一同唱歌,一同玩牌,一同吃喝,似乎他们已经有过终身的友谊。等到目的地将到,大家纷纷站起,收拾箱笼,倚窗等望来接他们的亲友,车一

开入站,他们就向月台上的人招手欢呼,还不等到车停,就赶忙跳了下去。能想起回头向你招呼的,就算是客气的人,差不多的都是头也不回的就走散了。战事虽长,也终有和平的一天,有一天,胜利来到,惊喜袭击了各个人的心,那时真是"飞鸟各投林",所剩下的只是一片白茫茫的大地——

"'假如你们成功了呢,你们是回去不回去?假如是回去了呢?你是个独女,不能不见你的父母。K也许可以不看他的太太,而那几个孩子,他是舍不得丢开的。你们仍旧生活在从前环境中间,我不相信你们能够心安理得,能够快乐,能够自然。人们结婚后不是两个人生活在孤岛上,就是在孤岛上,过了几天,几月,几年以后,也会厌倦腻烦,而渴望孤岛外的一切。你对K的认识,没有我清楚,他就像他的父亲,善感,易变,而且总倾向于忧郁,他永没有完全满足快乐的时候,总是追求着什么。在他不满足,忧郁的情境之中,他实在是最快乐的,你也许不懂得我的话,因为你没有同这样的一个人,共同生活过。

"'所以我替你想,为你的幸福起见,我劝你同K分开,"眼不见为净",你年纪轻轻的,人品又好,学问又好,前途实在光明得很——我离开北平之前,你母亲还来找我,说香港和重庆通讯容易,要我替她写信给你,说他们老了,这战事不知几时才完,他们不知道将来能不能见着你,他们别无所嘱,只希望你谨慎将事,把终身托付给一个能爱护你,有才德的人。我提到这些,就是提醒你,K一辈子是个大孩子,他永远需要别人的爱护,而永远不懂得爱护别人,换句话说,就是他有他自己爱护的方法!我把话都说尽了,你自己考虑考虑看。'这时F小姐已哭得泪人儿一般……

"我正在劝慰她,忽然听见K在外面叫我,我赶紧把门反掩上,出来便往家走,K一声不响的跟着我回来。

"此后我绝口不提这件事,K的情绪反而稳定了下来。我不知道他同F小姐又说过没有,我只静候着他们的决定。终于在前天夜里,K告诉我说F小姐决定从军去了,明天便走,她希望我能去送她。K说着并没有显出特别的悲伤,我反而觉得难过。这女孩子真是聪明,有决断!不是我心硬,我相信军队的环境和训练,是对她好的,至少她的积压的寂寞忧伤,有个健全高尚的发泄。今早我去送她,她没有掉下一滴泪,昂着头,挺着胸,就上了车……咳,都是这战争搅得人乱七八糟的……"

老太太停住了。这一篇话听得我凄然而又悚然,我便笑说:"伯母也不必再难过了,这件事总算告一段落,我想他们将来都会感激您的。伯母!我真是佩服您,怪不得朋友们都夸您通今博古,您说起文哲名词来,都是一串一串的!"老太太笑了,说:"别叫你们年轻人笑话,我小的时候,也进过几天的'洋学堂',如今英文差不多都忘光了,不过K的中文杂志书籍,我还看得懂——我看我该走了,你也乏了,我也出来了半天。你想吃什么,只管打发人去告诉我,我就做了送来。"她说着一面站起要走。

我欠起身来,说:"对不起,我不能送了。您来这么一说,我倒觉得清醒了许多。您若不嫌单身汉屋里少茶没水的,就请常过来坐坐。"老太太站住了,笑说:"真的,听说从前有人同你提过F小姐,你为什么不答应,你答应了多好,省去许多麻烦。"我笑说:"不是我不答应,我是不敢答应,她太多才多艺了,我不配!"老太太笑着摇头说:"哪里的话,你是太眼高了,不是我说你,'越挑越眼花'——"

老太太的脚声,渐渐的在甬道中消失了。我凝望着屋顶,反复咀嚼着"飞鸟各投林"这一句话!

这时窗外的暮色,已经压到屋里来了!

后　记

写了十四个女人的事,连带着也呈露了我的一生,我这一生只是一片淡薄的云,烘托着这一天的晶莹的月!

我对于女人的看法,自己相信是很平淡,很稳静,很健全。她既不是诗人笔下的天仙,也不是失恋人心中的魔鬼,她只是和我们一样的,有感情有理性的动物。不过她感觉得更锐敏,反应得更迅速,表现得也更活跃。因此,她比男人多些颜色,也多些声音。在各种性格上,她也容易走向极端。她比我们更温柔,也更勇敢;更活泼,也更深沉;更细腻,也更尖刻……世界若没有女人,真不知这世界要变成怎么样子!我所能想象得到的是:世界上若没有女人,这世界至少要失去十分之五的"真"、十分之六的"善"、十分之七的"美"。

我并不敢说怜悯女人,但女人的确很可怜。四十年来,我冷眼旁观,发现了一条真理,其实也就是古人所早已说过的话,就是:"男人活着是为事业,女人活着是为爱情。"——这虽然也有千万分之一的例外——靠爱情来维持生活,真是一件可怜而且危险不过的事情!

女人似乎更重视亲子的爱,弟兄姊妹的爱,夫妻的爱,朋友的爱……她愿意为她所爱的对象牺牲了一切。实际上,还不是她愿意不愿意的问题,她是无条件的,"摩顶放踵"的牺牲了,爱了再说！在这“摩顶放踵”的过程之中，她受尽人间的痛苦，假如牺牲而又得不到代价，那她的痛苦，更不可想象了。

你说，叫女人不“爱”了吧，那是不可能的！上帝创造她，就是叫她来爱，来维持这个世界。她是上帝的化生工厂里，一架“爱”的机器。不必说人，就是任何生物，只要一带上个“女”字，她就这样“无我”的，无条件的爱着，鞠躬尽瘁，死而后已！

你看母鸡，母牛，甚至于母狮，在上帝所赋予的爱里，她们是一样的不自私，一样的忍耐，一样的温柔，也一样的奋不顾身的勇敢。

说到这里，还有一件很可爱很可笑的现象，我就遇到过好几次：平常三四岁的孩子，手里拿着糖果，无论怎样的诓哄，怎样的恐吓，是拿不过来的；但如她是个小女孩子，你可以一头滚到她怀里去，撒娇的说：“妈妈！给你孩子一点吃吧！”这萌芽的母性，就会在她小小的心坎里作怪！她十分惊讶的注视着你，过了一会，她就会欣然的，爱娇的撅着小嘴，搂过你的头来，说：“馋孩子，妈妈给你一点吃吧！”

真要命！感谢天，我不是一个女人！

这本书里只写了十四个女人，其实我所认识的女性，往少里说，也有一千个以上：我的姑姨妗婶，姊妹甥侄，我的女同学，我的女朋友，我的女同事，我的女学生，我的邻居，我的旅伴；还有我的朋友的姑姨妗婶，姊妹甥侄……这其中还有不少的惊才绝艳，丰功伟烈，我真要写起来，一辈子也写不完。但是这些女人，一提起来，真是“大大的有名”！人人知晓，个个熟认，我一生宝贵女人的友情，我怕她们骂我——以后再说吧——

许多朋友，希望我写来写去，会以“我的新妇”结束。感谢他们的祝福，这对于我，真是“他生未卜此生休”的事情了！这

四十年里,我普遍的尊敬着一般女人,喜欢过许多女人,也爱过两三个女人,却没有恋过任何女人。这"爱而不恋"的心理——这是几个朋友,对于我用情的批评——就是我的致命伤!

我觉得我不配作任何女人的丈夫;惟其我是最尊敬体贴她们,我不能再由自己予她们以痛苦。我已经苦了一个我最敬爱的女人——我的母亲,但那是"身不由己",我决不忍使另一个女人再为我痛苦。男子在共营生活上,天生是更自私,更偷懒,更不负责的——自然一半也因为他们不知从何下手——我恐怕也不能例外。我不能积极的防止男子以婚姻方式来摧残女人,至少我能消极的禁止我自己也这样做!

施耐庵云:"人生三十而未娶,不应更娶;四十而未仕,不应更仕;五十不应在家,六十不应出游……"我以三十未娶,四十未仕之身,从今起只要经济条件允许,我倒要闲云野鹤似的,到处漫游。我的弟兄朋友,就为我"六十以后"的日子发愁,但我还觉得很有把握。我们大家庭里女权很盛;我的亲侄女,截至今日止,已有七个之多。堂的、表的、更是不计其数。只要这些小妇人,二十年后,仍是像今天这样的爱她们的"大伯伯",则我在每家住上十天,一年三百六十天,也还容易度过。再不然,我去弄一个儿子,两个女儿,来接代传宗,分忧解愠,也是一件极可能的事——只愁我活不到六十岁!

以上把我"终身大事",安排完毕,作者心安理得,读者也不必"替古人担忧"——如今再说我写这本小书的经过:廿九年冬,我初到重庆,《星期评论》向我索稿,我一时高兴,写了一篇《关于女人》来对付朋友,后来写滑了手,便连续写了下去,到了《星期评论》停刊,就没有再写。今年春天,"天地出版社"托我的一个女学生来说,要刊行《关于女人》,我便把在《星期评论》

上已经印行的九段,交给他们。春夏之交,病了一场,本书的上半本,排好已经三月,不能出版,"天地社"催稿的函件,雪片般的飞来,我只好以新愈之身,继续工作。山上客人不少,这三个星期之中,我在鸿儒谈笑,白丁往来之间,断断续续的又写了三万字,勉强结束。

这里,我还要感谢一个小女人,我的侄女,萱。若没有她替去了我这单身汉的许多"家务",则后面的七段,我纵然"呕尽心血",也是写不出来的!

一九四三年,八月三十午夜,四川大荒山。

附　　录

谈　生　命

我不敢说生命是什么,我只能说生命像什么,生命像向东流的一江春水,他从最高处发源,冰雪是他的前身。他聚集起许多细流,合成一股有力的洪涛,向下奔注,他曲折的穿过了悬崖峭壁,冲倒了层沙积土,挟卷着滚滚的沙石。快乐勇敢的流走,一路上他享乐着他所遭遇的一切:有时候他遇到巉前阻,他愤激的奔腾了起来,怒吼着,回旋着,前波后浪的起伏催逼,直到他过了,冲倒了这危崖他才心平气和的一泻千里。有时候他经过了细细的平沙,斜阳芳草里,看见了夹岸红艳的桃花,他快乐而又羞怯,静静的流着,低低的吟唱着,轻轻的度过这一段浪漫的行程。有时候他遇到暴风雨,这激电,这迅雷,使他心魂惊骇,疾风吹卷起他,大雨击打着他,他暂时浑浊了,扰乱了,而雨过天晴,只加给他许多新生的力量。有时候他遇到了晚霞和新月,向他照耀,向他投影,清冷中带些幽幽的温暖:这时他只想憩息,只想睡眠,而那股前进的力量,仍催逼着他向前走……终于有一天,他远远的望见了大海,呵!他已到了行程的终结,这大海,使他屏息,使他低头,她多么辽阔,多么伟大!多么光明,又多么黑暗!大海庄严的伸出臂儿来接引他,他一声不响的流入她的怀里。他消融了,归化了,说不上快乐,也没有悲哀!也许有一天,他再从海上蓬蓬的雨点中升起,飞向西来,再形成一

道江流,再冲倒两旁的石壁,再来寻夹岸的桃花。然而我不敢说来生,也不敢信来生!生命又像一棵小树,他从地底聚集起许多生力,在冰雪下欠伸,在早春润湿的泥土中,勇敢快乐的破壳出来。他也许长在平原上,岩石上,城墙上,只要他抬头看见了天,呵!看见了天!他便伸出嫩叶来吸收空气,承受日光,在雨中吟唱,在风中跳舞,他也许受着大树的荫遮,也许受着大树的覆压,而他青春生长的力量,终使他穿枝拂叶的挣脱了出来,在烈日下挺立抬头!他遇着骄奢的春天,他也许开出满树的繁花,蜂蝶围绕着他飘翔喧闹,小鸟在他枝头欣赏唱歌,他会听见黄莺清吟,杜鹃啼血,也许还听见枭鸟的怪鸣。他长到最茂盛的中年,他伸展出他如盖的浓荫,来荫庇树下的幽花芳草,他结出累累的果实,来呈现大地无尽的甜美与芳馨。秋风起了,将他叶子,由浓绿吹到绯红,秋阳下他再有一番的庄严灿烂,不是开花的骄傲,也不是结果的快乐,而是成功后的宁静和怡悦!终于有一天,冬天的朔风,把他的黄叶干枝,卷落吹抖,他无力的在空中旋舞,在根下呻吟,大地庄严的伸出臂儿来接引他,他一声不响的落在她的怀里。他消融了,归化了,他说不上快乐,也没有悲哀!也许有一天,他再从地下的果仁中,破裂了出来。又长成一棵小树,再穿过丛莽的严遮,再来听黄莺的歌唱,然我不敢说来生,也不敢信来生。宇宙是一个大生命,我们是宇宙大气中之一页。江流入海,叶落归根,我们是大生命中之一叶,大生命中之一滴。在宇宙的大生命中,我们是多么卑微,多么渺小,而一滴一叶的活动生长合成了整个宇宙的进化运行。要记住:不是每一道江流都能入海,不流动的便成了死湖;不是每一粒种子都能成树,不生长的便成了空壳!生命中不是永远快乐,也不是永远痛苦,快乐和痛苦是相生相成的。等于水道要经过不同的两岸，树木要经过常变的四时。在快乐中我们要感谢生命，在痛苦中我们也要感谢生命。快乐固然兴奋，苦痛又何尝不美丽？我曾读到一个警句，是“愿你生命中有够多的云翳，来造成一个美丽的黄昏。”世界、国家和个人的生命中的云翳没有比今天再多的了。

（原载1947年上海《京沪周刊》第1卷第27期）

图书在版编目(CIP)数据

寄小读者·关于女人/冰心著. 一上海:复旦大学出版社,2006.8
(现代作家精选本. 第2辑/吴福辉,陈子善主编)
ISBN 7-309-05061-4

Ⅰ.寄... Ⅱ.冰... Ⅲ.散文—作品集—中国—现代 Ⅳ.I266

中国版本图书馆CIP数据核字(2006)第072700号

寄小读者·关于女人
著　者　冰　心
主　编　吴福辉　陈子善

出版发行 复旦大学 **出版社** 上海市国权路579号 邮编:200433
86-21-65642857(门市零售)
86-21-65118853(团体订购) 86-21-65109143(外埠邮购)
fupnet@fudanpress.com http://www.fudanpress.com

责任编辑 杜荣根
特约编辑 吴文娟
装帧设计 陈　楠
总 编 辑 高若海
出 品 人 贺圣遂

印　刷 杭州钱江彩色印务有限公司
开　本 890×1 240 1/32
印　张 7.75 插页 3
字　数 165千
版　次 2006年8月第一版第一次印刷
印　数 1-12 000

书　号 ISBN 7-309-05061-4/I·354
定　价 17.00元

如有印装质量问题,请向复旦大学出版社发行部调换。